Franz K

DIE
VERWANDLUNG

bearbeitet von
Achim Seiffarth

Redaktion : Jacqueline Tschiesche
Computerlayout : Sara Blasigh
Projektleitung und Graphik : Nadia Maestri
Illustrationen : Ivan Canu

© 2003 Cideb

Erstausgabe: April 2003

Bildnachweis: Seite 5, 6, 51, 52; AKG Berlin

Trotz intensiver Bemühungen konnten nicht alle Inhaber von Text- und
Bildrechten ausfindig gemacht werden. Für entsprechende Hinweise ist
der Verlag dankbar.

Wir würden uns freuen, von Ihnen zu erfahren, ob Ihnen dieses
Buch gefallen hat. Wenn Sie uns Ihre Eindrücke mitteilen oder
Verbesserungsvorschläge machen möchten, oder wenn Sie
Informationen über unsere Verlagsproduktion wünschen, schreiben
Sie bitte an:
info@blackcat-cideb.com
blackcat-cideb.com

The Publisher is certified by

 CISQCERT

in compliance with the UNI EN ISO 9001:2008
standards for the activities of «Design and
production of educational materials»
(certificate no. 02.565)

Gedruckt in Genua, Italien, bei Litoprint

INHALT

 Der gesamte Text ist als Hörtext verfügbar.

LEBEN

1883 ist Franz Kafka in Prag geboren. Er ist das erste Kind Hermann und Julie Kafkas. Er hat drei Schwestern.

Franz Kafkas Vater Hermann kommt aus einer sehr armen jüdischen Familie aus der böhmischen Provinz. Er arbeitet viel: seine Kinder sollen es einmal besser haben. Franz hat sein Leben lang Schwierigkeiten mit diesem starken und lauten Mann.

Mutter Julie kommt aus einer bürgerlichen deutsch-jüdischen Familie aus Podiebrad.

Zusammen führen Hermann und Julie in Prag ein Geschäft. Als Kind ist Kafka viel allein. Kindermädchen oder die Köchin kümmern sich um ihn.

Zu Hause spricht man Deutsch und Tschechisch, doch Franz besucht nur deutschsprachige Schulen und dann die Deutsche Universität. Warum? Von 450 000 Pragern sprechen nur 34000 Deutsch. Aber diese kleine Gruppe dominiert in Prag: bis 1918 gehört Böhmen zur österreichisch-ungarischen Monarchie. Kafka studiert Jura. Nach dem Examen wird er 1907

Kafka mit seiner Freundin und Verlobten Felice Bauer Anfang Juli 1917 in Budapest.

Versicherungsangestellter, zuerst bei den *Assicurazioni Generali*, dann bei der Arbeiterunfallversicherung, wo er Fabrikinspektor wird und die Sicherheit in den Fabriken kontrolliert. 1922 wird er pensioniert, denn er ist schwer lungenkrank.

Franz Kafka stirbt 1924 in einem Sanatorium in der Nähe von Wien.

Geheiratet hat Kafka nicht. Er ist kurze Zeit mit Felice Bauer verlobt gewesen. Von 1922 bis 1924 hat er mit der jungen Polin Dora Dymant zusammen gelebt.

1908 veröffentlichte Kafka erste Erzählungen. *Die Verwandlung* ist 1915 erschienen. Die Romane *Das Schloss*, *Der Prozess* und *Amerika* gibt Max Brod, seit 1902 Kafkas Freund, posthum heraus.

Mehrmals soll Kafka den Freund gebeten haben, alles Geschriebene zu verbrennen.

Kafka wird in der Literatur oft als unglücklicher Mensch voll von Ängsten und Zweifeln beschrieben. Er hat – so heißt es – sein Jurastudium und sein Leben als Versicherungsangestellter gehasst, hat, erfolglos in der Liebe und im Beruf, nächtelang an traurigen Geschichten geschrieben und ist, immer schon krank und depressiv, früh gestorben. Dieses Kafka-Bild hat sich dank der Studien des deutschen Verlegers Klaus Wagenbach geändert. Auf Fotos und in Briefen ist für uns heute ein Kafka sichtbar, der viele Freunde hatte, Tennis spielte und Motorrad fuhr, der gern gereist ist und nicht ohne Engagement gearbeitet hat.

Teil I

KAPITEL 1

Eines Morgens, er hat schlecht geträumt, erwacht Gregor Samsa und ist ein Insekt geworden.

Sein Rücken ist hart wie ein Panzer.

Er hebt den Kopf ein Stückchen. Rund und braun sieht er seinen Bauch vor sich, die Bettdecke fällt herunter. Vor seinen Augen bewegen [1] sich viele kleine Beinchen.

„Was ist mit mir geschehen?" denkt er.

Das ist kein Traum. Er liegt in seinem Zimmer, einem ganz normalen, etwas zu kleinen Menschenzimmer. Da steht der Tisch. Auf dem Tisch liegt die Kollektion: Gregor ist Vertreter [2]. Über dem Tisch hängt ein Bild. Es ist das Foto einer Dame. Er hat es aus einer Zeitschrift. Die Dame trägt einen Pelzhut, eine schwere Pelzboa und an den Armen einen Pelzmuff [3].

Gregor sieht zum Fenster. Das Wetter ist schlecht. Er kann

---

1. **sich bewegen** : nicht ruhig bleiben.
2. **r/e Vertreter/in** : verkauft von Tür zu Tür.
3. **r Pelzmuff** : in den P. steckt man im Winter die Hände und Unterarme.

den Regen hören. „Da wird man ganz melancholisch", denkt Gregor. „Ich will noch ein bisschen schlafen, dann ist sicher alles wieder gut." Aber er kann nicht einschlafen. Normalerweise schläft er auf der rechten Seite, aber mit seinem gepanzerten Rücken geht das nicht. Er versucht es immer wieder. Hundertmal. Er will die dünnen Beinchen nicht mehr sehen und schließt die Augen. Aber er schläft nicht ein. Jetzt hat er auch noch Schmerzen.

„Ach Gott", denkt er, „ich habe einen zu anstrengenden [4] Beruf! Immer auf Reisen. Immer verkaufen. Wer im Büro arbeitet, hat ein ruhiges Leben. Und ich? Immer die Uhr in der Hand, das unregelmäßige [5] und ungesunde Essen, immer neue, immer andere Leute treffen, nie einen Freund sehen. Der Teufel soll das alles holen!" Sein Bauch juckt. Er kratzt sich mit einem Bein. Ihm wird plötzlich ganz kalt. Er kratzt sich nicht mehr.

„Dieses frühe Aufstehen", denkt er, „macht einen verrückt [6]. Der Mensch muss seinen Schlaf haben. Aber mein Chef ist streng [7]. Da verliert man gleich die Stelle. Arbeitslos. Ich muss an meine Eltern denken. Sie haben Schulden beim Chef. Aber in ein paar Jahren, vielleicht in fünf oder sechs, gehe ich zu ihm und sage ihm, was ich denke. Dann fällt er vom Tisch. Er sitzt nämlich immer auf dem Tisch. Ganz nah soll man zu ihm kommen, denn er hört schlecht. Jetzt muss

---

4. **anstrengend** : macht müde.
5. **unregelmäßig** : nicht nach der Regel, ungeregelt.
6. **verrückt** : psychisch „nicht normal".
7. **streng** : toleriert Müdigkeit, Unkonzentriertheit etc. nicht.

ich allerdings aufstehen, denn mein Zug fährt um fünf." Und er sieht auf den Wecker. „Himmlischer Vater", denkt er. Es ist halb sieben. Dann ist es fast Viertel vor sieben. „Was ist geschehen?" fragt er sich. „Hat der Wecker heute nicht geklingelt?" Der Wecker steht richtig auf vier Uhr. Sicher hat er auch geklingelt.

„Ich habe das Klingeln nicht gehört. Verschlafen [8]. Was soll ich jetzt tun? Zum Bahnhof laufen? Den Sieben-Uhr-Zug bekomme ich doch nicht mehr. Die Kollektion ist noch nicht eingepackt. Ich fühle mich auch nicht gut. Der Chef ist sicher böse. Der Geschäftsdiener [9] hat am Fünf-Uhr-Zug gewartet und den Chef sicher schon informiert. Das ist eine Kreatur des Chefs. Was soll ich tun? Mich krank melden [10]? Aber ich bin in fünf Jahren nicht ein einziges Mal krank gewesen. Dann kommt der Chef mit dem Kassenarzt [11] und sagt den Eltern, sie haben einen faulen Sohn. Denn für den Kassenarzt gibt es keine Kranken, nur gesunde, aber faule Menschen. Und in meinem Fall ist das ja nicht falsch. Es geht mir doch ganz gut. Ein bisschen müde bin ich immer noch. Vor allem aber habe ich großen Hunger."

---

8. **verschlafen** : zu lange geschlafen.
9. **r/e Geschäftsdiener/in** : unqualifizierte/r Helfer/in in der Firma.
10. **sich krank melden** : sagen, dass man krank ist.
11. **r Kassenarzt/ e Kassenärztin** : wird von der Krankenkasse bezahlt (nicht privat).

Leseverständnis

1 Was ist was? – Definitionen
Streiche, was nicht passt:

Beispiel: Gregor ist (~~auf der Straße~~ / in seinem Zimmer /
~~in der Küche~~ / in seinem Bett).

1. Ein Vertreter (kontrolliert die Fahrkarten / fährt durchs Land
   / spielt Fußball / sitzt im Büro / muss etwas verkaufen).
2. Wer hat einen Panzer? (das Militär/ Insekten / Biertrinker).
3. Schulden (muss man bezahlen / hat der Mörder / kann man
   bei der Bank haben).
4. Der Kassenarzt (arbeitet nur für Reiche / ist für alle da /
   kontrolliert die Kranken auch).
5. Sich bewegen ist zum Beispiel: (stehen / laufen / schwimmen
   / träumen / gehen).
6. Ein Wecker (ist eine Uhr / macht Brot / macht Krach /
   klingelt/ kommt morgens).

2 Was ist geschehen?

Gregor Samsa, von Beruf (Bildhauer / Vertreter / Fotograf / Tier),
ist eines Morgens ein (König/ Pelz/ Tier) geworden. Sein Rücken
ist (weich/ schwer/ hart/ gebrochen), sein Bauch ist (braun / rot /
grün / weich), er hat (viele kleine dünne Beine / viele lange dicke
Beine/ Flimmern / Kratzbeinchen). Es ist (zu spät/ verschlafen/
zu teuer), Gregor hat den Wecker (nicht gesehen / nicht gehört/
nicht gestellt). Gregor will (weiterschlafen / zum Bahnhof laufen /
mit dem Chef sprechen), aber es geht nicht. Er denkt, er arbeitet
(zu viel/ zu schlecht/ zu wenig). Er muss noch (ein paar Jahre/
ein Jahrzehnt) für seinen jetzigen Chef arbeiten, denn (seine
Schwester will das / sein Chef bekommt noch Geld von Gregors
Eltern/ er findet nichts Besseres). Vielleicht kommt der Arzt,
denkt Gregor: (der kann mir helfen / der denkt, ich bin ein
Simulant / dann schlafe ich weiter).

3 **Was soll das alles bedeuten?**

1. Der Erzähler spricht über Gregor Samsa in der dritten Person:
   „Gregor Samsa" und „er". Was weiß er von Gregor? Sind
   Gregor und der Erzähler verschiedene Personen?
2. Welche „Personen" nennt der Erzähler (nicht)?
   Den Chef – den Geschäftsdiener – die Eltern – Gott – den
   Teufel – die Schwester – die Kollegen – Freunde.
   Wer ist für den Erzähler am wichtigsten?

Wortschatz

4 **Adjektive – Was passt? Verbinde:**

1.	schwer	**a.** der Buchautor (1000 Euro pro Jahr)
2.	leicht	**b.** der Chef der Firma (1000000 Euro pro Jahr)
3.	arm	**c.** der Finanzminister (150 kg)
4.	dunkel	**d.** der Ballon
5.	hell	**e.** das Licht
6.	reich	**f.** die Nacht

5 **Was passt? Setze das passende Adjektiv aus der Liste (nächste
Seite) ein. (Eins brauchst du zweimal):**

1. Sie haben im Lotto gewonnen und sind nicht mehr arm,
   sondern ....
2. Er kann den Schrank nicht tragen, denn der ist zu
   ....
3. Er kommt nicht durch die Tür, denn sie ist zu ....
4. Er kann nicht durch den Fluss schwimmen, denn der ist zu
   ....
5. Er kann nichts sehen, denn heute Morgen ist es sehr
   ....

13

6. Er macht die Augen zu, denn das Licht ist zu ....

7. Er bekommt schlechte Noten, denn der Lehrer ist
....

8. Er arbeitet zu wenig, denn er ist nicht fleißig, sondern
....

9. Den Apfel kannst du nicht mehr essen. Er ist ....

> eng – reich – faul – breit – streng – neblig –
> schwer – hell

Verben – Sportarten

6 **Welches Verb passt?**

1. Beim Fußball musst du den Ball ....

2. Beim Handball musst du den Ball ....

3. Gewichte musst du ....

4. Mit dem Florett musst du ....

5. Schwere Möbel musst du ...., ein Sport ist das aber
nicht.

6. Beim Hochsprung musst du erst richtig ...., dann
richtig ....

7. Beim Wasserball .... die Ungarn die Italiener auch
dieses Jahr.

> fechten – schieben – schießen – werfen – fallen –
> schlagen – heben – springen

7 Vorsicht: *werfen* (du wirfst), *fallen* (du fällst) und *schlagen* (du schlägst) sind Verben mit Vokalwechsel. Welche Verbform passt?

Ein Kampf

Was will der Mann von mir? Er 1..................... (werfen) Tomaten nach mir. Er hat eine Pistole in der Hand.

2..................... (schießen) er auf mich? Ich 3..................... (laufen) weg, er 4..................... (laufen) hinter mir her. Ich 5..................... einen Stein 6..................... (aufheben) und 7..................... (ihn werfen). Getroffen! Er 8..................... (fallen). Aber schon

9..................... er .... (aufstehen). Ich 10..................... (laufen) weiter. Ich muss über ein paar große Steine

11..................... (springen). Er 12..................... (springen) auch. Jetzt hat er einen Stock in der Hand und 13..................... (schlagen) mich. Ich 14..................... (schlagen) zurück. Da kommen vier Polizisten und legen uns Handschellen an.

KÄFER UND SCHMAROTZER

Auch die Welt der Insekten ist (aus der Sicht des Menschen) geteilt.

Insekten stören. Manchmal stören sie nur ein bisschen, wie zum Beispiel Mücken oder Fliegen; manchmal stören sie sehr, und dann spricht man von *Ungeziefer*: als Parasiten wohnen sie in unseren Haaren, in unserer Kleidung, warten in unseren Betten auf uns – wie zum Beispiel Flöhe, Läuse oder Wanzen. Statt „Parasit" sagt man auch „Schmarotzer".

Das ist die eine Seite. Auf der anderen Seite gibt es Insekten, die wir gern sehen, weil sie schön sind (Libellen) oder Glück bringen, wie zum Beispiel der Marienkäfer. Er ist rot und hat schwarze Punkte auf dem Rücken. Die Punkte kannst du zählen, die Zahl bringt dir Glück ...

So nannte man denn auch den „klassischen" deutschen Volkswagen „Käfer" oder sagte über ein attraktive junge Frau „hübscher Käfer".

Eine interessante Kombination ist der Skarabäus, auf Deutsch: „Mistkäfer". Bei den alten Ägyptern hatte er eine religiöse Funktion. Er bringt auch Glück, Gesundheit, langes Leben; aber was er normalerweise tut, ist nicht sehr nobel: Er dreht kleine Kugeln aus – Mist. Schmutz und Glück sind hier also vereint.

1 Fragen:

1. Gibt es Personengruppen, die du selbst als Schmarotzer siehst?
2. Gibt es ein Insekt, das dir Glück bringt?
3. Warum ist Gregor Samsa keine Libelle, Mücke etc., sondern ein Käfer?
4. Kafka hat den Illustratoren des Texts verboten, das Insekt selbst zu malen. Was meinst du, warum?

2 Interpretation:

Es gibt Leute, die Schriftsteller/innen und Intellektuelle „Schmarotzer" (Parasiten) nennen. Sie arbeiten nämlich nicht selbst, heißt es, sondern ... Was meinst du?
Vergleiche: Wovon leben Schriftsteller/innen?
Womit arbeiten sie? Wie findest du den Vergleich?

KAPITEL 2

Gregor denkt nach. Der Wecker steht schon auf Viertel vor sieben. Da klopft es leise an der Tür am Kopfende seines Bettes. Es ist die Mutter. „Gregor", ruft sie, „es ist Viertel vor sieben. Musst du nicht wegfahren?" Die Stimme [1] seiner Mutter! Gregor antwortet. Seine Stimme ist nicht wie sonst. Er spricht zwar verständlich, doch hört man auch ein leises Piepsen. Gregor sagt nur: „Ja, ja, danke Mutter, ich stehe schon auf." Durch die Tür klingt Gregors Stimme wie immer. Die Mutter scheint mit der Erklärung zufrieden und schlurft davon [2]. Aber sein Vater und seine Schwester haben das Gespräch gehört. Sie wollen jetzt auch wissen, warum Gregor noch zu Hause ist. Schon klopft an der einen Seitentür [3] der Vater. „Gregor", ruft er, „was ist denn?" Nach einer kurzen Pause ruft er noch einmal: „Gregor! Gregor!" Durch die zweite Seitentür hört er jetzt auch seine

Track 03

---

1. **e Stimme(n)** : was man hört, wenn jd. spricht.
2. **schlurfen** : gehen, ohne die Beine zu heben.
3. **e Seitentür(en)** : Zimmertür links oder rechts.

Schwester. „Gregor? Fühlst du dich nicht gut? Brauchst du etwas?"

Beiden, Vater und Schwester, antwortet Gregor: „Bin schon fertig [1]." Er spricht langsam, macht Pausen. Niemand soll das

---

1. **fertig** : es ist nichts mehr zu tun.

Sonderbare [4] an seiner Stimme hören. Der Vater geht wieder frühstücken. Aber die Schwester bleibt. „Gregor, mach die Tür auf, ich bitte dich." Aber Gregor will nicht. „Gott sei Dank", denkt er, „schließe ich auch zu Hause alle Türen ab, wie ich es als Reisender in Hotels immer tue."

Jetzt will er erstmal aufstehen und in Ruhe frühstücken. „Über meine Situation kann ich dann immer noch nachdenken", sagt er sich, „hier im Bett komme ich doch zu keinem Schluss [5]." Schon öfter hatte er morgens beim Aufwachen Schmerzen gehabt, und nach dem Aufstehen war alles in Ordnung. „Ich habe mich erkältet. Darum klingt auch meine Stimme so sonderbar. Reisenden passiert das oft", denkt Gregor.

Aber das Aufstehen ist nicht leicht. „Wie komme ich hoch?" fragt er sich. Er ist zu breit. Arme und Hände hat er nicht. Die vielen Beinchen kann er nicht beherrschen [6]. „Nur nicht im Bett bleiben", denkt Gregor. Er will mit dem unteren Teil seines Körpers zuerst aus dem Bett kommen. Aber wie sieht dieser untere Teil aus? Er weiß es nicht. Er bewegt sich nur langsam. Gregor versucht es immer wieder, mit aller Kraft [7]. Aber dann schlägt er gegen den Bettpfosten [8]. Der Schmerz ist stark. So geht es nicht. Er muss mit dem Oberkörper zuerst aus dem Bett. Vorsichtig bewegt er den Kopf

---

4. **sonderbar** : nicht normal.
5. **r Schluss("e)** : (hier) logische Konsequenz.
6. **beherrschen** : kontrollieren, dominieren.
7. **e Kraft("e)** : Energie.
8. **r Bettpfosten(=)** : s Bein vom Bett.

nach rechts. Das geht, und langsam folgt auch die schwere
Körpermasse. „Aber so falle ich aus dem Bett und schlage mit
dem Kopf auf", denkt er. Das ist zu gefährlich, da bleibt er
besser liegen.

Jetzt liegt er wieder da und sieht seine Beinchen sich
bewegen. Liegen bleiben kann er nicht. Er muss aus dem Bett,
um jeden Preis. Aber er will noch einmal in Ruhe [9]
nachdenken. Er sieht zum Fenster: Nebel. Er sieht auf den
Wecker: sieben Uhr. „Schon sieben Uhr", denkt er, „und noch
so neblig." Eine Zeit lang liegt er ruhig da.

Plötzlich sagt er sich: „Viertel nach sieben muss ich aus
dem Bett sein. Dann ist sicher auch jemand aus dem Büro da
und fragt nach mir." Und wieder bewegt er sich langsam auf
den Bettrand zu. Vor dem Bett liegt ein Teppich. Beim Fallen
schlägt er vielleicht doch nicht mit dem Kopf auf. Sicher gibt
es einen großen Krach. Die anderen können das hören und
sich fragen, was Gregor macht. Aber das muss er riskieren.

Er ist schon zur Hälfte aus dem Bett. „Mit Hilfe von zwei
starken Leuten ist das sicher leichter", denkt Gregor. „Mein
Vater und das Dienstmädchen [10] zum Beispiel. Sie schieben [11]
ihre Arme unter meinen Rücken, heben mich aus dem Bett,
legen mich langsam auf den Boden und helfen mir, auf die
Beine zu kommen." Aber die Türen sind verschlossen. Soll er
wirklich um Hilfe rufen? Bei dem Gedanken muss er leise
lachen.

9. **in Ruhe** : ohne Störung.
10. **s Dienstmädchen (=)** : Helferin im Haus.
11. **schieben** : ein Objekt mit Kraft bewegen.

Leseverständnis

1 **Was passt?**

1. Gregor .... noch immer .... seinem Bett.
2. Er sieht .... dem Fenster. Es ist ....
3. Er sieht .... den Wecker. .... vergeht.
4. Als erste .... seine Mutter an .... Tür.
5. Gregors .... ist nicht normal.
6. Auch seine .... und sein .... klopfen.
7. Gregor .... nur kurz.
8. Er .... sich langsam aus dem Bett.
9. Gregor will nicht mit einem lauten Krach .... den Boden ....
10. Aber vor .... Bett liegt ein Teppich.

---

dem – die – Stimme – Schwester – antwortet –
in – auf – auf – aus – neblig – Zeit – fallen – Vater –
schiebt – liegt – klopft

---

2 **„Durch die Tür" – Beantworte die Fragen:**

1. Wie viele Türen hat Gregors Zimmer?
2. Wo sind diese Türen?
3. Wer spricht an welcher Tür?
4. Warum sind die Türen abgeschlossen?
5. Kurz: Was ist hier nicht „normal"?
6. Was stört die Verständigung („Kommunikation") zwischen Gregor und seiner Familie noch?
7. Gregor will aufstehen. Was will er in diesem Moment noch? Warum kann er das nicht?

Wortschatz

Verben mit Präpositionen

Aus dem Deutschunterricht kennst du sicher die Verben *sich freuen* und *sich ärgern*. Beide stehen mit der Präposition *über*, nur *sich freuen* steht manchmal mit *auf*. Hier sind die Präpositionen obligatorisch. Es gibt auch andere feste Kombinationen, die du einfach lernen musst. So zum Beispiel: *zufrieden sein mit, auf die Beine kommen, klopfen an*.

3 **Setze die passende Präposition ein:**

1. Gregors Vater klopft .... die Tür.

2. Gregor freut sich nicht .... den Besuch des Prokuristen.

3. Gregors Tür ist geschlossen und der Prokurist ärgert sich .... Gregor.

4. Der Chef ist schon lange nicht mehr .... Gregors Arbeit zufrieden.

5. Gregor denkt noch, er kommt bald wieder .... die Beine.

4 **Pronomen mit Präpositionen**
Manchmal wiederholen wir einen Namen oder einen Satzteil nicht. Dann brauchen wir „Pronomen". Hat das regierende Verb eine obligatorische Präposition, ist auch für das Pronomen die Präposition obligatorisch. Vergleiche die Beispiele 1-3 und ergänze die Regeln A und B:

1. Ich freue mich über Ronalds Geschenke. Freust du dich auch darüber? (da+r+über)

2. Vor ein paar Wochen habe ich mit einem Lehrer Streit gehabt. Hast du davon gehört? (da+von)

3. Letzten Sommer habe ich täglich an Petra gedacht. Heute denke ich nicht mehr an sie.

A. Beginnt die Präposition mit einem Vokal, kommt zwischen *da* und die Präposition ein ....

B. Bei Personen bilden wir nicht *da+Präposition*, sondern nehmen: ....

5 **Ergänze, was fehlt:**

1. Nächste Woche gibt es eine Lehrerkonferenz. Ich denke immer ....

2. Sie heiratet jetzt einen anderen, aber ich denke immer noch ....

3. Jeden Tag steht sein Auto vor meiner Garage. Ich ärgere mich sehr .... (2 Möglichkeiten!)

4. Du hast eine schöne Arbeit als Vertreter. Sei doch .... zufrieden!

KAPITEL 3

s ist zehn nach sieben. Stück für Stück schiebt sich Gregor weiter.

Da klingelt es an der Tür. „Jemand aus dem Geschäft", denkt er. Seine Beinchen tanzen.

Er hört nichts. „Sie öffnen nicht", denkt er. Aber dann hört er das Dienstmädchen zur Tür gehen. „Guten Morgen", hört er, und er weiß, wer das ist. „Der Prokurist [1]. Warum schicken sie nicht den Lehrjungen [2]? Sie denken immer sofort, die Angestellten wollen nicht arbeiten."

Mit aller Kraft schiebt Gregor sich aus dem Bett. Endlich fällt er. Es gibt einen Schlag. Aber er ist nicht laut. Gregor fällt auf den Teppich, und der Rücken ist elastisch. Nur am Kopf hat er sich weh getan.

„Da im Zimmer ist etwas gefallen", sagt der Prokurist. Er steht schon im Nebenzimmer links. Gregor hört seine

---

1. **r/e Prokurist/in** : Person, die für die Firma unterschreiben darf.
2. **r Lehrjunge(n)** : junger Mann, der in der Firma lernt.

Schwester durch die Tür flüstern: „Gregor, der Prokurist ist da." „Ich weiß", antwortet Gregor.

Jetzt spricht sein Vater aus dem Nebenzimmer links. „Gregor", sagt er, „der Herr Prokurist ist gekommen und möchte wissen, warum du nicht mit dem Fünf-Uhr-Zug gefahren bist. Was sollen wir ihm sagen? Er will mit dir persönlich sprechen. Mach bitte die Tür auf. Die Unordnung stört den Herrn Prokuristen sicher nicht."

„Guten Morgen, Herr Samsa", ruft der Prokurist. Da hört Gregor auch die Mutter: „Es geht ihm nicht gut, glauben sie mir, Herr Prokurist. Er hat noch nie einen Zug verpasst ³. Er denkt immer nur ans Geschäft. Jetzt war er acht Tage in der Stadt und ist jeden Abend zu Hause geblieben. Abends sitzt er da und studiert Fahrpläne oder liest die Zeitung. Manchmal bastelt ⁴ er etwas, das ist sein einziger Spaß. In seinem Zimmer stehen ein paar Dinge, die er selbst gemacht hat. Aber die können Sie ja jetzt selbst sehen. Ihnen macht er sicher die Tür auf. Von uns lässt er sich ja nichts sagen. Sicher fühlt er sich nicht gut."

„Das glaube ich gern", sagt der Prokurist, „aber ich muss Ihnen auch sagen: Wir Geschäftsleute denken immer zuerst ans Geschäft und bleiben bei einer leichten Erkältung nicht einfach zu Hause." Wieder klopft der Vater an die Tür: „Also kann der Herr Prokurist jetzt zu dir ins Zimmer?" „Nein", antwortet Gregor. Niemand spricht mehr im Nebenzimmer links.

---

3. **verpassen** : zu spät kommen und nicht mehr bekommen.
4. **basteln** : mit den Händen etwas Kleines bauen (konstruieren).

Im Nebenzimmer rechts hört Gregor die Schwester weinen. Warum geht sie nicht zu den anderen? Sie ist sicher noch nicht angezogen. Und warum weint sie denn? Weil Gregor nicht aufsteht und den Herrn Prokuristen nicht ins Zimmer lässt? Weil er dann seine Arbeit verliert und der Chef von den Eltern sein Geld will? So schlimm [5] sieht es doch noch nicht aus. Noch ist Gregor hier. Augenblicklich [6] liegt er auf dem Teppich und kann den Prokuristen schlecht ins Zimmer lassen. Das ist nur normal. Da verliert man nicht gleich den Arbeitsplatz. Eine gute Erklärung findet sich sicher. Warum lassen sie Gregor nicht in Ruhe? Warum stehen sie da vor der Tür? Verstehen kann Gregor sie schon. Sie haben Angst. Sie wollen wissen, was mit ihm ist.

„Herr Samsa", ruft nun laut der Prokurist, „was ist denn los? Sie verbarrikadieren sich da in Ihrem Zimmer, antworten nur mit Ja und Nein, machen Ihren Eltern Angst. Zur Arbeit gehen Sie auch nicht. Das ist unerhört [7]. Ich spreche hier im Namen Ihrer Eltern und Ihres Chefs und muss Sie um eine Erklärung bitten. Ich kenne Sie als ruhigen, vernünftigen [8] Menschen und jetzt werden Sie plötzlich launisch [9]. Oder hat der Chef Recht? Er hat mir heute Morgen gesagt: ‚Samsa hat für uns eine Summe Geldes kassiert, vielleicht ist das die Erklärung.' ‚Das kann nicht sein', habe ich ihm geantwortet. Und jetzt lassen Sie mich nicht in Ihr Zimmer? Ihre Position

---

5. **schlimm** : sehr schlecht.

6. **augenblicklich** : im Moment.

7. **unerhört** : das gibt es nicht.

8. **vernünftig** : rational.

9. **launisch** : ohne stabilen Charakter, heute so und morgen anders.

im Geschäft ist nicht die beste. In der letzten Zeit haben Sie zu wenig verkauft. Das liegt natürlich auch an der Jahreszeit [10]. Aber Geschäfte machen, das müssen wir in jeder Jahreszeit. Ich wollte es Ihnen unter vier Augen sagen, aber Sie sprechen ja nicht mit mir. Jetzt wissen es auch ihre Eltern." Das ist zu viel für Gregor. „Herr Prokurist", ruft er, „ich mache ja sofort, augenblicklich auf. Ich habe mich schwach gefühlt heute Morgen, ich konnte nicht aufstehen, eine leichte Erkältung. Noch jetzt liege ich im Bett. Nur einen Augenblick! Es geht noch nicht so gut. Denken Sie nur: Gestern Abend habe ich mich noch sehr gut gefühlt, meine Eltern wissen das ja. Das heißt, etwas seltsam gefühlt habe ich mich schon. Warum habe ich es dem Chef nicht schon gestern Abend mitteilen [11] lassen? Aber man denkt ja immer, es geht schon, man kann ja doch arbeiten. Herr Prokurist! Meine Eltern haben mit all dem nichts zu tun! Es ist doch nicht so, wie Sie sagen. Haben Sie nicht die letzten Bestellungen [12] gesehen, die ich ins Geschäft gebracht habe? Und jetzt fahre ich mit dem Achtuhrzug wieder los.

Es geht mir schon besser. Gehen Sie nur, Herr Prokurist; ich bin in ein paar Minuten selbst im Geschäft. Sagen Sie das bitte dem Chef!"

Gregor sagt das alles sehr schnell und kommt immer näher an den Schrank heran. Er will jetzt aufstehen. Er will die Tür aufmachen. Die anderen sollen ihn sehen. Vielleicht ist alles wie immer. Dann kann Gregor wirklich um acht Uhr am

---

10. **e Jahreszeit(en)** : Winter, Sommer ... .
11. **mitteilen** : jdm. etwas sagen.
12. **e Bestellung(en)** : Liste der Sachen, die die Leute kaufen wollen.

Bahnhof sein und den Zug nehmen. Oder sie erschrecken. Dann lassen sie ihn endlich in Ruhe. Gregor schiebt sich am Schrank hoch. Einige Male fällt er wieder, aber dann steht er da. Er hat starke Schmerzen im Unterleib. Jetzt sagt er nichts mehr.

„Haben Sie etwas verstanden?" fragt der Prokurist die Eltern. „Macht er sich über uns lustig?" „Um Gottes Willen", ruft die Mutter unter Weinen, „vielleicht ist er sehr krank, wir müssen ihm helfen. Grete! Grete!" Und aus dem Nebenzimmer rechts antwortet die Schwester: „Mutter? Du musst einen Arzt holen. Gregor ist krank. Geh schnell. Hast du gehört, wie er spricht?" „Das war eine Tierstimme [13]", sagt der Prokurist leise. „Anna! Anna!" ruft der Vater in die Küche. „Hol sofort einen Schlosser [14]." Und schon laufen die Köchin und die Schwester durchs Vorzimmer. Wie hat sich die Schwester so schnell angezogen? Gregor hört die Wohnungstür aufgehen. Sie lassen sie offen stehen. So ist das in Wohnungen, wo etwas Schlimmes geschehen ist.

Gregor ist jetzt ruhiger. Man versteht ihn nicht mehr. Aber man weiß jetzt: etwas ist nicht in Ordnung mit ihm. Man will ihm helfen. Gregor fühlt sich jetzt wieder als einer von ihnen. Er ist nicht mehr allein, und der Schlosser und der Arzt können ihm sicher helfen.

---

13. **e Tierstimme(n)** : wie ein Hund, eine Katze, ein Elefant „spricht".
14. **r Schlosser (=)** : arbeitet mit Metall, macht z.B. Schlüssel und Türschlösser.

Leseverständnis

1 **Unterstreiche, was in den folgenden Sätzen falsch ist (wenn etwas falsch ist) und verbessere:**

1. Um zehn nach acht kommt der Lehrjunge.
2. Gregor schiebt sich aus dem Bett und fällt auf den Teppich.
3. Die anderen hören den Krach nicht.
4. Der Vater sagt, Gregor soll ins Wohnzimmer kommen und mit dem Herrn sprechen.
5. Die Mutter sagt, Gregor ist jeden Abend zu Hause.
6. Die Schwester geht zu den anderen und sagt auch, Gregor soll die Tür öffnen.
7. Der Prokurist sagt, Gregor hat in der letzten Zeit besser gearbeitet.
8. Gregor antwortet jetzt, aber die anderen verstehen ihn nicht.
9. Gregor will nun doch noch den Zug nehmen.
10. Die Eltern laufen zum Arzt.

2 **Die Hierarchie im Geschäft**
Schreibe die Berufe der Personen in das Dreieck

a. der Firmenchef   b. der Geschäftsdiener

c. der Lehrjunge   d. die Angestellten im Büro

e. die Vertreter (Reisenden)

„Im Namen Ihrer Eltern und Ihres Chefs" will der Prokurist sprechen. Warum sind hier Eltern und Chef eine Einheit? Ist das auch für Gregor so?

3 **Erklärungen: Was ist mit Gregor?**

1. Gregor hat selbst eine Hypothese. Welche?
2. Die Mutter meint, Gregor ist krank. Für den Prokuristen ist das keine gute Erklärung, denn ...

31

3. Was meint der Chef?

4. Was denkt der Prokurist?

Wortschatz

Oft *gehen* die Menschen und Käfer in unserem Text nicht normal. Mal *gehen* sie *rückwärts*, mal *schlurfen* sie, wie die Mutter im letzten Abschnitt, oder sie *stampfen auf* (heben beim Gehen die Beine hoch und machen mit den Füßen Krach), oder sie *kriechen* (Insekten, Kobras ... tun das); vielleicht *schleichen* sie auch (sehr leise gehen), manche *laufen* (weg).

4 **Setze das passende Verb ein:**

1. Mit seinen alten Pantoffeln .... der Vater abends ins Bad.

2. Die Köchin sieht das große Tier aus dem Zimmer kommen und ....

3. Die Tochter will noch ausgehen, aber ihre Eltern dürfen das nicht wissen. Sie .... zur Tür und schließt leise auf.

4. Sie ärgert sich über die schlechte Note und .... mit den Füßen ....

5. Eine drei Meter lange Python .... durchs Zimmer.

5 **Bilde Skalen: Was ist schneller? – Was macht mehr Krach?**

> kriechen – laufen – rennen – aufstampfen – schleichen –
> schlurfen – spazieren gehen

langsam

0 ————————————————————————→

kriechen

leise

0 ————————————————————————→

schleichen

KAPITEL 4

Im Nebenzimmer ist es ganz still. Vielleicht sitzen sie jetzt am Tisch, oder sie horchen an der Tür.

Gregor schiebt langsam den Stuhl zur Tür. Er wirft sich gegen die Tür und bleibt stehen. Seine Füßchen halten ihn. Er ruht sich einen Augenblick aus. Er will die Tür aufschließen. Vielleicht kann er mit dem Mund den Schlüssel umdrehen. Er hat keine Zähne, aber seine Kiefer [1] sind sehr stark. Etwas Braunes läuft aus seinem Mund, läuft über den Schlüssel und tropft [2] auf den Boden. Aber das stört Gregor im Moment nicht. „Hören Sie nur", sagt jetzt der Prokurist im Nebenzimmer. „er dreht den Schlüssel um." Warum sagen die anderen nichts? Warum rufen sie nicht: „Gut, Gregor! Mach weiter! Dreh den Schlüssel um!" Er braucht all seine Kraft. Stück für Stück dreht er den Schlüssel. Jetzt hängt er nur noch mit dem Mund an der Tür. Dann hört er endlich das Schloss aufgehen.

---

1. **r Kiefer(=)** : bei Menschen die stabile Basis der Zähne.
2. **tropfen** : in kleinen Quantitäten fallen („plitsch").

Er legt den Kopf auf die Klinke und öffnet langsam die Tür.
Ihn selbst können die anderen noch nicht sehen. Er steht noch
hinter der offenen Tür. Gregor muss erst um die Tür kommen.
Das geht nur langsam. Es ist schwierig und anstrengend. „Oh!"
ruft da schon laut der Prokurist. Er steht direkt an der Tür,
sieht Gregor an und hält sich die Hand vor den Mund.
Langsam geht er zurück. Die Mutter – ihre Haare sind noch
nicht frisiert und stehen hoch – sieht zuerst mit gefalteten
Händen den Vater an, geht dann zwei Schritte zu Gregor hin
und fällt zu Boden. Der Vater ballt die Faust, sieht sich im
Wohnzimmer um, legt dann die Hände vor die Augen und
weint laut.

Gregor steht in der halb offenen Tür. Es ist hell geworden.
Er kann jetzt durch das Wohnzimmerfenster das Haus auf der
anderen Straßenseite sehen, ein Krankenhaus. Es regnet noch
immer. Der Tisch ist für das Frühstück gedeckt. An der Wand
hängt ein Foto aus seiner Militärzeit: Gregor als Leutnant,
militärisch korrekt, die Hand am Säbel. Die Tür zum
Vorzimmer ist offen und auch die Wohnungstür steht noch
immer offen.

„Nun", sagt Gregor. Er ist jetzt ganz ruhig, „ich ziehe mich
jetzt an, packe die Kollektion ein und fahre dann los. Wollt
ihr, wollt ihr mich wegfahren lassen? Nun, Herr Prokurist, Sie
sehen, ich arbeite gern; das Reisen ist anstrengend, aber ohne
das Reisen kann ich nicht leben. Wohin gehen Sie denn, Herr
Prokurist? Ins Geschäft? Wollen Sie dort alles erzählen? Im
Augenblick kann ich leider nicht arbeiten, aber ich will gern
bald wieder anfangen. Im Moment sieht es nicht so gut aus.

Aber es wird bald wieder besser. Halten Sie im Geschäft meine Partei [3]. Man denkt dort, Reisende verdienen viel Geld und führen ein schönes Leben. Sie wissen es besser, Herr Prokurist. Sie wissen auch, wie gern die anderen über die Reisenden klatschen [4]. Die sind ja nicht da und können nichts sagen. Spät abends kommen sie müde nach Hause, alle sind böse auf sie und sie wissen nicht warum. Sie geben mir sicher Recht, Herr Prokurist. Sagen Sie doch auch etwas."

Aber der Prokurist hat sich schon bei den ersten Worten Gregors umgedreht und sieht Gregor nur noch über die Schulter an. Langsam geht er aus der Wohnung.

So darf der Prokurist nicht fortgehen. Dann ist Gregor arbeitslos. Jemand muss mit ihm sprechen. Die Eltern verstehen das alles nicht so gut. In den langen Jahren haben sie immer gedacht, Gregor gefällt seine Arbeit. Und jetzt sind sie ganz durcheinander [5]. Warum ist die Schwester nicht da? Sie ist klug, sie weiß immer, was sie sagen soll. Aber wer soll jetzt mit dem Prokuristen sprechen? Gregor muss es selbst tun. Er schiebt sich durch die enge Tür. Er fällt auf seine kleinen Beinchen. Es geht; die Beinchen tragen ihn. Gregor freut sich. Aber in diesem Augenblick springt seine Mutter auf und sieht ihn an. Sie hebt die Arme hoch und ruft: „Hilfe! Um Gottes Willen, Hilfe!" Langsam geht sie zurück. Sie stößt an den gedeckten Frühstückstisch. Sie setzt sich darauf. Die Kaffeekanne fällt um. Der Kaffee läuft auf den Teppich.

---

3. **e Partei(en)** : politische Organisation, Position.
4. **klatschen** : (hier) über andere (schlecht) sprechen.
5. **durcheinander** : konfus.

„Mutter, Mutter", sagt Gregor, und sieht sie von unten an. Er sieht den Kaffee und will etwas trinken. Seine Kiefer öffnen sich. Die Mutter schreit und läuft fort, dem Vater in die Arme.

Gregor hat jetzt keine Zeit für seine Eltern. Er muss noch mit dem Prokuristen sprechen. Der springt mit einem Schrei die Treppe hinunter und ist nicht mehr zu sehen. Gregor will ihm nach, aber sein Vater lässt ihn nicht. Er nimmt den Spazierstock 6 des Prokuristen in die eine, die Zeitung in die andere Hand, stampft mit den Füßen auf und geht auf Gregor zu. Der Vater zischt 7 laut. Es hilft nichts. Gregor muss in sein

6. **r Spazierstock("e)** : alte Männer gehen oft mit S., einem „dritten Bein".
7. **zischt** : „zschhhh".

Zimmer zurück. Er muss rückwärts [8] gehen. Er hat Angst, sein Vater gibt ihm von hinten einen Schlag mit dem Stock. Vorsichtig dreht er sich um. Der Vater schlägt ihn nicht. Er zischt nur immer weiter. Gregor passt nicht durch die Tür. Sie ist zu eng. Das Zischen des Vaters wird immer lauter. Gregor hebt eine Seite seines Körpers. Bald steckt er fest. Der Vater gibt ihm einen starken Stoß, blutend fliegt Gregor ins Zimmer. Die Tür schlägt zu. Dann ist es endlich still.

8. **rückwärts** : nach hinten.

Leseverständnis

1 **Was steht im Text, was nicht?**

1. Gregor schließt die Tür auf.

2. Die anderen freuen sich.

3. Der Prokurist sieht ihn und lacht.

4. Die Mutter springt im Wohnzimmer herum.

5. Der Vater sieht böse aus. Dann weint er.

6. An der Wand hängt ein Foto.

7. Auf dem Foto sieht man Gregor im Garten sitzen und Bier trinken.

8. Gregor spricht mit dem Prokuristen.

9. Der Prokurist soll, sagt Gregor, schon ins Geschäft gehen.

10. Der Prokurist hört ihm interessiert zu.

11. Gregor will den Prokuristen töten.

12. Die Mutter steht auf.

13. Die Mutter wirft die Kaffeekanne um.

14. Die Mutter läuft vor Gregor weg.

15. Der Vater will Gregor schlagen.

16. Gregor kommt nicht durch die Tür und bleibt im Wohnzimmer liegen.

Verbessere die unrichtigen Aussagen.

2 **Reaktionen – Bilder**
Gregor kommt nur langsam um die Tür. Dann sehen sie ihn.

1. Der Prokurist geht langsam aus der Wohnung. Warum langsam? Warum dreht er sich um?

2. a. Die Mutter ist nicht frisiert. Die Haare stehen hoch – wie sieht sie aus? Was bedeutet im Deutschen der Ausdruck: „Ihr stehen die Haare zu Berge"?

   b. Wann faltet man normalerweise die Hände?

Die Mutter „sieht mit gefalteten Händen den Vater an".
Warum den Vater? Warum sieht sie nicht nach oben, zum
Himmel?

c. Dann steht sie wieder auf und geht langsam rückwärts.
Der Kaffee ... Stell dir die Szene vor. Alles geht langsam,
niemand spricht. In was für einen Film passt so eine
Szene? In einen Horrorfilm, eine Komödie, einen
historischen Monumentalfilm, einen Stummfilm, einen
Serienkrimi oder eine Telenovela?

3. a. Gregor spricht jetzt lange. Wie ist der Ton seiner Rede?
Warum antwortet ihm niemand?

b. „Ich arbeite gern", sagt der Käfer. Er will die Kollektion
einpacken und losfahren. Was meinst du? Ist das absurd
oder ist es nur logisch oder beides? Warum?

4. a. Der Vater „ballt die Fäuste und sieht sich um ...". Wann
ballt man die Fäuste, warum tut es der Vater? Vor Freude,
vor Wut (Aggressivität), aus politischen Motiven, vor
Schmerz? – Und was sucht er im Wohnzimmer?

b. Den Stock in einer Hand, die Zeitung in der anderen,
sieht der Vater aus wie die Karikatur eines ... was? Er
stampft auf, er zischt, er treibt das Tier zurück. Wer
kämpft sonst mit Tieren?

Wortschatz

3 **Verben mit trennbaren Präfixen – oder ohne. Bilde Sätze:**

Beispiel: Er / auch die Krawatten /einpacken
       Er packt auch die Krawatten ein.

1. Niemand / seiner Tochter / zuhören
2. Jemand / die chinesische Vase / umwerfen
3. Das Kind / ist böse und / mit den Füßen / aufstampfen
4. Die Eltern / an der Tür ihrer Kinder/ horchen
5. Heute Abend / wir / die Koffer / packen
6. Auf Mallorca angekommen/ wir / Koffer/ auspacken

7. Er / gefällt ihr/ und sie nach ihm / sich umdrehen

8. Sie / ihn nicht an der Leine /halten / und er / weglaufen

9. Es ist spät /und er zum Bahnhof / schnell laufen

10. Unser Käfer / zu viel/ nachdenken

4 **Welches der oben genannten Verben passt? Mit oder ohne Präfix?**

1. Ich .... zu Hause das Deutschbuch nicht ....

2. Er .... den Ball ins Tor ....

3. Er läuft und .... alle Passanten ....

4. Das habe ich dir gesagt! Aber du .... mir nie ....

5. .... dich nicht immer nach diesem Typ da ....!
   So schön ist der auch nicht!

6. Das ist eine Nervensäge! Ihr Mann .... ihr sicher bald
   ....!

7. Das ist ein Pedant! Seine Frau .... ihm sicher bald
   ....!

Zur Grammatik – Finales

Wir arbeiten, um zu essen. Oder wir essen, um zu arbeiten. Und wir
lernen Deutsch, um ..., ja, warum? oder wozu? – Es gibt kausale und
finale Begründungen (Motivationen). Kausale kennst du sicher, das
macht man mit „weil" + Nebensatz. Finale Begründungen kennst du
sicher auch; das macht man mit „um ... zu" + Infinitivkonstruktion
oder mit „damit" + Nebensatz oder zu+Substantiv.

5 **Gib mindestens zwei Antworten auf jede der folgenden Fragen:**

Beispiel: Warum lernst du Deutsch. – Ich lerne Deutsch, weil
meine Großeltern aus Zürich kommen. Wozu lernst du
Deutsch? – Ich lerne Deutsch, um Nietzsche im Original
lesen zu können. Oder: Ich lerne zum Spaß Deutsch.

(Auch „zum Spaß" hat finale Bedeutung und viele kurze Finalsätze kannst du in solche Präposition+Substantiv-Kombinationen umformen.)

1. Wozu hast du Augen?
2. Wozu brauchst du Beine?
3. Wozu braucht man Arme?
4. Wozu hast du einen Mund?
5. Wozu hast du einen Rücken?
6. Wozu brauchst du Geld?
7. Wozu brauchst du mehr Zeit?
8. Wozu fährst du im Sommer ans Meer?
9. Wozu stehst du morgens auf?

6 **Motive – Recherche:**
Zweimal wird im Text ein Motiv der österreichischen Literatur der Zeit zitiert. Der Text spielt auf die „Venus im Pelz" (Sacher-Masoch) und auf den Leutnant der österreichisch-ungarischen Armee (z.B. bei Schnitzler) an. Informiere dich über diese Figuren. Welche Funktion haben im Text:

a. die Frau, die eine Frau ist, aber sich von Kopf bis Fuß mit Pelz bedeckt,

b. der junge Leutnant in Uniform?

Ist der Kontrast zu Gregor (vor oder nach der Verwandlung?) oder die Ähnlichkeit wichtiger?

7 **Verwandlung – Was wird wie und/oder was?**

	wird/ werden zu ...
die Beine	
die Arme	
der Rücken	
der Mund	

8 Wofür hat Gregor die Beine vor seiner Verwandlung gebraucht?
Welches Problem hat er jetzt damit?
Warum ist der Rücken, so wie er jetzt ist, ganz praktisch?
Was ist mit Gregors Mund? Welche Probleme hat er jetzt? Was
ist jetzt besser, was ist schlechter?
Stell dir die Verwandlung in einen Baum oder in ein Auto vor.
Welche Körperteile werden zu welchem Element?

Verwandlungen/ Metamorphosen sind ein sehr altes Thema der
Literatur. Es gibt (zum Beispiel bei Ovid) Verwandlungen als
Strafe (jemand hat etwas Böses getan), als Rettung (jemand ist in
Gefahr/ hat Angst). Kennst du Beispiele? Was passt (nicht) auf
Gregor? Ist die Verwandlung eine Strafe? Wofür? Oder ist sie eine
Rettung? Wovor?

Ein Beispiel: Ovid erzählt, wie Apollo hinter Daphne her ist und
Daphne sich in einen Baum verwandelt. Was passiert mit
ihren Beinen? Warum ist das kein Problem? Was ist mit
Gregors Beinen passiert? Wofür hat er sie vor der
Verwandlung gebraucht, wofür gebraucht er sie jetzt? (siehe
auch nächstes Kapitel!)

Alternative: Gregors Verwandlung ist keine Strafe und keine
Rettung, es ist im Grunde auch keine Verwandlung, denn
Gregor hat schon vor der Verwandlung wie ein Insekt gelebt.
Warum? Was meinst du?

Teil II

KAPITEL 1

Track 06

Erst am Abend erwacht Gregor wieder. Hat er etwas gehört?

Das Licht der Straßenlampen scheint auf die Zimmerdecke und die Möbel.

Auf dem Boden ist es dunkel. Langsam schiebt sich Gregor zur Tür.

Er braucht kein Licht. Er orientiert sich mit Hilfe seiner Fühler [1]. „Wie praktisch", denkt er. Aber er hat Schmerzen an der linken Seite. Auch ein Beinchen bewegt sich nicht mehr, leblos hängt es an seinem Körper.

An der Tür steht ein Teller mit süßer Milch und Weißbrot. Er möchte lachen vor Freude. Er hat großen Hunger und taucht [2] den Kopf in die Milch. Aber bald zieht er den Kopf wieder zurück. Die Milch schmeckt ihm nicht. Bis gestern hatte er gern welche getrunken. Jetzt lässt er den Teller

---

1. **r Fühler(=)** : „Antenne" am Kopf von Insekten.
2. **tauchen** : (hier) in die Milch stecken.

43

stehen und kriecht von der Tür weg. Im Wohnzimmer brennt Licht, wie Gregor durch die Türspalte [3] sieht. Es ist still. An anderen Abenden hatte der Vater den anderen laut aus der Zeitung vorgelesen. In der ganzen Wohnung ist es still. „Ein ruhiges Leben führen meine Eltern und meine Schwester hier, in dieser großen, schönen Wohnung", denkt Gregor, „denn ich habe immer für sie gearbeitet." Ist das jetzt alles zu Ende? Gregor will nicht nachdenken und kriecht in seinem Zimmer auf und ab.

Einmal öffnet sich die linke, einmal die rechte Seitentür, aber nur ganz kurz. Gregor stellt sich an die Wohnzimmertür und wartet. Aber niemand kommt mehr. Heute Morgen wollten alle zu ihm ins Zimmer. Da waren die Türen verschlossen. Jetzt kommt niemand herein. Die Schlüssel stecken jetzt außen.

Spät geht das Licht im Wohnzimmer aus. Jetzt kommt sicher die ganze Nacht niemand mehr.

Sein großes Zimmer macht ihm jetzt Angst. Er kriecht unter das Sofa. Das ist ein bisschen eng, aber er fühlt sich dort sicher. Er ist allerdings zu breit, ein Stück seines Körpers hat unter dem Sofa keinen Platz.

Die ganze Nacht bleibt er unter dem Sofa liegen. Er schläft nicht gut. Er hat Hunger und er denkt immer wieder über seine Lage [4] nach. Was soll er tun? Er will die Familie so

---

3. **e Türspalte(n)** : Türen schließen nicht zu 100%, es bleibt eine Spalte.
4. **e Lage(n)** : Situation.

wenig stören, wie es geht.

Sehr früh am Morgen öffnet die Schwester die Tür.

Sie sieht ihn unter dem Sofa liegen. Sie schlägt die Tür zu.

Aber dann öffnet sie die Tür wieder. Sie kommt ins Zimmer. Gregor liegt unter dem Sofa und beobachtet sie. Er sagt nichts. Er hat Hunger, aber er will die Schwester nicht noch mehr erschrecken. Sie sieht den Teller mit Milch und hebt ihn vorsichtig, mit einem Stück Stoff, auf. Will sie ihm etwas anderes bringen? Ja, sie kommt wieder, sie hat etwas im Arm. Auf einer alten Zeitung legt sie etwas auf den Boden. Altes Gemüse, Essensreste in weißer Soße, ein Butterbrot, ein großes Stück Käse. Vor zwei Tagen hatte Gregor dieser Käse nicht geschmeckt.

Schnell geht seine Schwester aus dem Zimmer. Sie schließt die Tür von außen ab, denn Gregor soll in Ruhe essen können.

Gregor kriecht zur Tür. Schmerzen hat er jetzt keine mehr. Hungrig isst er den Käse, das Gemüse und die Soße. Was frisch ist, lässt er liegen. Dann wird er müde.

Zufrieden liegt er vor der Tür. Da hört er den Schlüssel im Schloss umdrehen und kriecht schnell unter das Sofa zurück. Jetzt ist er dicker als in der Nacht und unter dem Sofa ist es ihm zu eng. Aber er muss dort warten, denn die Schwester macht alles sauber und trägt erst dann die Essensreste in einem Eimer aus dem Zimmer.

Dann geht die Tür wieder zu, und schnell kriecht Gregor unter dem Sofa hervor.

So bekommt Gregor jeden Tag sein Essen. Einmal früh morgens, die Eltern und das Dienstmädchen schlafen noch; einmal nach dem Mittagessen, die Eltern schlafen wieder, und die Schwester schickt das Mädchen einkaufen. Sicher wollen auch die Eltern Gregor nicht verhungern [5] lassen, aber die Schwester will mit ihnen nicht über das Essen für Gregor sprechen müssen.

In all der Zeit spricht niemand mit Gregor. Manchmal ruft die Schwester in Gregors Zimmer den Namen eines Heiligen an. Doch dann scheint sie sich ein bisschen an die Situation zu gewöhnen [6] und sagt „Nun hat es ihm aber geschmeckt" oder „Nun ist wieder alles stehen geblieben."

Oft kriecht Gregor an die Tür und horcht [7]. In den ersten Tagen sprechen sie immer über ihn, und sie sprechen viel. Nie bleibt jemand allein mit ihm in der Wohnung. Haben sie Angst?

---

5. **verhungern** : vor Hunger sterben.
6. **sich gewöhnen an etwas** : etwas mit der Zeit normal finden.
7. **horchen** : an der Wand oder an der Tür zuhören.

Leseverständnis

1 **Bilde Sätze**

Beispiel: Gregor sieht durch die Türspalte das Licht aus dem Wohnzimmer.

* Gregor
* die Schwester
* die Türen
* die Eltern

* ein schönes Leben führen
* abgeschlossen sein
* sauber machen
* im Zimmer hin und her kriechen
* Essen bringen
* jetzt keine frischen Sachen mögen
* unter dem Sofa liegen
* nichts für Gregor tun
* durch die Türspalte das Licht aus dem Wohnzimmer sehen

2 **Beantworte die Fragen**

1. Was ist abends anders als am Morgen?
2. Wie fühlt sich Gregor jetzt (körperlich)?
3. Warum konnten Eltern und Schwester ein ruhiges Leben in einer großen Wohnung führen? Warum jetzt nicht mehr?
4. Warum kriecht Gregor unter das Sofa? Tut er das gern?
5. Was hat sich an Gregors Geschmack geändert?
6. Jetzt will Gregor nicht mehr nachdenken. Warum nicht?
7. Die Beziehung zwischen Gregor und den anderen hat sich geändert. Welche Rolle hat Gregor jetzt? Wie kommuniziert er mit den anderen?

Zur Grammatik

3 Der Erzähler gebraucht im Text drei verschiedene Vergangenheitsformen. Welche sind das?

Beispiele: Milch hatte ihm immer geschmeckt.
Gregor hat verschlafen.
Die Schwester wollte ihn nicht beim Essen stören.

Perfekt und Präteritum

Der Text folgt dabei der einfachen Regel, meistens Perfekt und das Präteritum nur für *sein*, *haben* und Modalverben zu gebrauchen. Das ist übrigens nicht obligatorisch und regional verschieden; es ist allerdings praktisch. Setze nach der genannten Regel die folgenden Sätze in eine Vergangenheitsform:

1. Ich schlafe zu wenig.
2. Ich stehe morgens immer zu früh auf.
3. Ich will das Geld für meine Familie verdienen.
4. Ich habe keine Interessen.
5. Ich nehme heute nicht den Zug.
6. Ich werde ein Käfer.
7. Ich träume schlecht.
8. Ich laufe zur Tür.
9. Ich krieche an der Decke herum. (kriechen-kroch-gekrochen)

4 Das Plusquamperfekt brauchen wir nicht so oft, nur dann, wenn die Zeitfolge es erfordert, wie du an den Beispielen sehen kannst.

Beispiele: Er hat sich gestern in ein Insekt verwandelt. Vorher **hatte** er immer viel **gearbeitet**.
Im letzten Monat hat er sehr aggressiv reagiert. Vorher **war** er toleranter **gewesen**.

Setze die passende Verbform ein:

1. Er hat sich gestern verwandelt. Er frisst jetzt gern alten Käse.
   Vorher .... ihm nur frischer Käse ....
   (schmecken)

2. Ich habe sie vor siebzehn Jahren auf Hawaii kennen gelernt.
   Vorher .... ich keine Frau .... (küssen)

3. Napoleon hat die letzten Jahre seines Lebens auf St.Helena
   verbracht. Vorher .... er auf Elba ....
   (wohnen)

4. Gestern ist sein Hund gestorben. Er .... ihn in der
   letzten Zeit von einem Arzt zum anderen ....
   (bringen)

PRAG

Prag, die *Goldene Stadt*, zieht Touristen aus aller Welt an.
Sie sehen die Karlsbrücke, die Rathausuhr, den Hradschin mit
der romantischen Alchimistengasse, wo Kafka eine Zeit lang
gearbeitet hat, auch die Synagoge und den jüdischen Friedhof als
Bild einer schönen Vergangenheit.
Prag, das *Zentrum Mitteleuropas*, ist eine literarische Metropole.
Lange Zeit wird in Prag auch Deutsch gesprochen und geschrieben.

*Jüdischer
Friedhof in Prag.*

Viele wichtige Autoren der deutschsprachigen Literatur kommen aus Prag, zum Beispiel Rainer Maria Rilke und Franz Werfel.

Vor allem für die Jahre nach 1884 (da erscheint Rilkes *Leben und Lieder*) spricht man von einem Prager literarischen Frühling. Diese starke literarische Aktivität ist überraschend, denn Deutsch ist die Sprache einer Minderheit von 34000 Personen. Im Alltagsleben, in Geschäften, Fabriken und Straßenbahnen, spricht man Tschechisch.

Der Einfluss osteuropäischer Literaturen ist stark. In Prag kommen verschiedene Traditionen zusammen. Das ist nicht nur

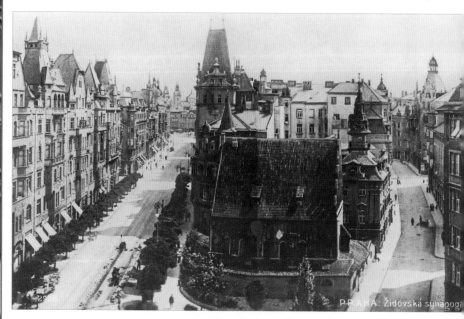

Die Altnai-Synagoge in Prag.

eine Frage der Sprache, sondern auch der Religion. In Prag leben viele Juden, und auch hier unterscheiden sich ost- und westeuropäische Elemente.

Diese Vermischungen und Kontakte sehen im täglichen Leben allerdings nicht immer sehr harmonisch aus. Die Juden sind am Ende des neunzehnten Jahrhunderts emanzipiert, sie brauchen zum Beispiel nicht mehr im Ghetto zu wohnen. Das Ghetto wird um 1900 abgerissen und modernisiert.

Aber immer wieder gibt es, wie in ganz Osteuropa, antisemitische Aktionen. Auch zwischen „Tschechen" und „Deutschen" kommt es, zum Beispiel an Kafkas Schule, immer wieder zu Konflikten, die sehr aggressiv geführt werden.

1938 besetzen deutsche Truppen den Westen der Tschechoslowakei (Sudetenland) und 1939 Prag. Das ist auch das Ende der Prager deutschsprachigen Literatur.

1 **Fragen:**

1. Deutsch ist nicht die wichtigste Sprache im Alltagsleben. Welche Konsequenzen kann das für den Stil der Autoren haben? Welche Risiken bringt das für eine/n Schriftsteller/in mit sich?

2. Gibt es in der Literatur deines Landes auch eine Region, in der verschiedene Traditionen zusammen existieren und in der es daher eine besondere literarische Aktivität gibt?

KAPITEL 2

D ie Mutter und die Schwester müssen jetzt selbst kochen. Die Köchin hat gekündigt. Aber alle essen wenig. Sie fordern einander zum Essen auf, antworten aber immer nur: „Danke, ich habe genug." Gregor hört sie auch über die finanzielle Lage der Familie sprechen. Die Eltern sind nicht so arm, wie Gregor immer gedacht hatte. Er war Reisender geworden, weil ihm die Lage der Eltern als sehr schwierig erschienen war. Ein Reisender verdiente viel und brachte Provisionen nach Hause. So hatte Gregor alles bezahlt.

Erst waren seine Eltern auch sehr dankbar gewesen, aber dann hatten sie sich an die Situation gewöhnt. Nur zu seiner Schwester hatte Gregor eine herzlichere Beziehung [1]. Er wollte sie gern aufs Konservatorium schicken. Die Eltern sagten immer: das ist zu teuer.

---

1. **e Beziehung(en)** : Relation.

Gregor steht täglich an der Tür und horcht und denkt an alte Zeiten. Manchmal wird er müde und sein Kopf schlägt gegen die Tür. „Was macht er da nur wieder?" fragt dann der Vater.

Gregor erfährt nun vieles, was er nicht wusste. Die Eltern haben gespart. Gregor hatte immer das meiste Geld in der Familie abgegeben. Warum hatten sie mit dem Geld nicht die Schulden bezahlt? Gregor hatte als Reisender für den Chef gearbeitet, weil die Eltern bei ihm Schulden hatten. Aber jetzt ist es natürlich besser so, denn ein oder vielleicht auch zwei Jahre kann die Familie von dem ersparten Geld leben. In dieser Zeit muss einer von ihnen eine Arbeit finden.

Der Vater arbeitet seit dem Bankrott seines Geschäfts nicht mehr und ist in diesen fünf Jahren dick und langsam geworden. Die Mutter leidet an Asthma und sitzt oft den ganzen Tag am offenen Fenster auf dem Sofa. Soll die Schwester arbeiten gehen? Sie ist siebzehn, noch ein Kind. Was kann sie denn? Ein wenig der Mutter helfen, sich nett anziehen und ein bisschen Violine spielen.

Gregor hört sie über diese Probleme sprechen und wirft sich traurig aufs Sofa. Oft bleibt er dort die ganze Nacht liegen und denkt nach. Oder er schiebt den Sessel zum Fenster und sieht hinaus. Schon immer hat er gern aus dem Fenster gesehen. Jetzt sieht er allerdings von Tag zu Tag weniger. Die andere Straßenseite kann er schon nicht mehr sehen. Die Charlottenstraße, eine städtische, belebte Straße, sieht er jetzt nur noch ganz grau.

Täglich kommt die Schwester in sein Zimmer und räumt auf. Er spricht nicht mit ihr, er kann ihr nicht danken. Er liegt unter seinem Sofa.

Einmal, vielleicht einen Monat nach Gregors Verwandlung, kommt die Schwester früher als sonst ins Zimmer. Gregor liegt noch nicht unter dem Sofa, er steht am Fenster. Er hört den Schlüssel im Schloss. Die Schwester steht in der Tür und sieht Gregor an. Was tut sie jetzt? Sie schlägt schnell die Tür wieder zu und kommt erst am Mittag wieder, unruhiger als sonst. Gregor zu sehen ist immer noch zu viel für sie. Gregor hat eine Idee: er legt das große weiße Betttuch über das Sofa. So kann ihn niemand unter dem Sofa sehen. So ist er ganz verdeckt [2]. Die Schwester nimmt das Tuch nicht vom Sofa.

In den ersten vierzehn Tagen kommen die Eltern nicht in Gregors Zimmer. Die Szene ist immer dieselbe: die Schwester kommt herein und räumt auf, die Eltern warten vor der Tür. Nachher stellen sie der Schwester viele Fragen. Was hat er gegessen? Ist es besser geworden? Sie danken ihr für ihre Arbeit. Aber sie kommen nicht herein. Nur die Mutter hört er manchmal rufen: „Lasst mich zu meinem Sohn!". Vater und Schwester halten sie vor der Tür fest. Aber eines Tages kommt sie herein.

---

2. **verdeckt** : man kann es nicht mehr sehen.

Leseverständnis

1 **Was ist an den folgenden Aussagen falsch?**

1. Die finanzielle Lage der Eltern war immer sehr schwierig gewesen. Gregor musste arbeiten und viel verdienen, damit die anderen etwas zu essen bekamen.
2. Der Beruf des Vertreters hatte Gregor immer gut gefallen.
3. Gregors Eltern wollten die Schwester aufs Konservatorium schicken, aber es war nicht genug Geld da.
4. Die Eltern waren noch recht jung und sehr gesund. Eine Arbeit zu finden war sicher nicht schwer für sie.
5. Die Eltern haben sich immer sehr für das interessiert, was Gregor dachte und fühlte.
6. Jeden Abend kommt die ganze Familie in Gregors Zimmer, um ihm eine Gute Nacht zu wünschen.

2 **Beantworte die Fragen:**

1. Warum ist es sonderbar, dass die Eltern Geld gespart haben?
2. Gregors Schwester bringt ihm etwas zu fressen und macht sein Zimmer sauber. Was macht sie nicht?
3. Warum bringen seine Eltern ihm nichts?
4. Was ist mit Gregors Augen?

3 **Schreibe**
Wie ist die Beziehung Gregors zu seinen Eltern? Ist sie nach der Verwandlung anders als vor der Verwandlung? Beantworte auch die folgenden Fragen: Was dachten die Eltern, als Gregor als Vertreter arbeitete? Was dachten sie, wenn er das Geld zu Hause abgab? Was haben sie nicht verstanden? Was, glaubst du, denken und fühlen sie jetzt? (150 - 250 Wörter)

Wortschatz

> *Ziemlich (viel)* oder *genug*, was passt?
> *Gregor verdient ziemlich viel.* = Gregor verdient nicht wenig.
> *Gregor verdient genug.* = Gregor verdient so viel, wie er braucht.

4 Ergänze *ziemlich* (*viel*) oder *genug* (manchmal passt auch beides – erkläre den Unterschied):

1. Dieses Jahr können wir nach Panama fliegen. Ich habe .... Geld.

2. Ich kann nicht mit nach Deutschland fahren. Ich habe nicht .... Geld.

3. Wie geht's? .... gut.

4. Gregor kann dir nicht helfen. Er hat schon .... Probleme.

5. Ich denke, er ist .... reich.

6. Er kann mir ein paar Euro geben, er ist reich ....

7. Möchtest du noch ein Stückchen Huhn, Irina? Nein danke, ich habe ....

5 Bilde Sätze:

Beispiel: Das kann ich ihn fragen. Ich /ihn kennen
  Ich kenne ihn gut genug.

1. Ich brauche mehr Zeit. Eine Stunde / täglich nicht/

2. Er ist nie zu Hause. Er / Freunde haben/

3. Sie bekommt die Stelle. Sie /Deutsch sprechen/

4. Er soll nicht immer nur ans Geldverdienen denken. Er /Geld haben/

5. Wir können alle bei ihm übernachten. Seine Wohnung /groß für fünf Personen/

6. Er hat nachts allein Angst. Weißt du, seine Wohnung /groß/ und er kann nicht alles kontrollieren.

6 Konjunktionen

Der Text wird jetzt manchmal ein bisschen komplizierter.

Beispiele: **Was** frisch ist, lässt er liegen.
Die Eltern sind nicht so arm, **wie** Gregor immer
gedacht hatte.
Er war Reisender geworden, **weil** ihm die Lage der
Eltern schwierig erschienen war.

Was, wie und weil sind hier Konjunktionen und was folgt, ist ein Nebensatz. Das finite Verb kommt also ans Ende. Setze passende Konjunktionen von der Liste ein:

1. Er kann nicht zur Arbeit, ... er sich nicht gut fühlt.

2. Der Prokurist will wissen, ... Gregor hat.

3. Die Nachbarn fragen, ... der Käfer kommt.

4. Gregor erklärt ihnen, ... er so schnell wie möglich die Tür aufmachen will.

5. Gregor kriecht unter das Sofa, ... die Schwester ins Zimmer kommt.

6. Der Chef will wissen, ... Gregor noch das Geld hat.

7. Gregor will mit dem Prokuristen sprechen, ... er die Tür geöffnet hat.

8. Sie gibt ihm nur morgens und mittags etwas zu essen, ... die Eltern sie nicht sehen.

9. Die anderen Insekten fragen ihn, ... er heißt.

10. Gregor will den Prokuristen nicht ins Zimmer lassen, ... sein Vater das will.

> ob – was – woher – weil – obwohl – dass – wie –
> nachdem – bevor – damit

KAPITEL 3

Gregor hat neue Gewohnheiten angenommen. Am Fenster will er während des Tages nicht stehen. Unter dem Sofa ist es ihm schon nachts zu eng. Er beginnt, über die Wände und die Decke zu kriechen. Oben an der Decke hängt er gern. Da fühlt er sich freier. Manchmal fällt er, aber jetzt tut er sich beim Fallen nicht mehr weh. Die Schwester bemerkt nach kurzer Zeit Gregors neue Gewohnheiten. Sie will ihm helfen und die alten Möbel aus dem Zimmer räumen. Aber sie kann das nicht allein tun. Den Vater will sie nicht fragen. Das Dienstmädchen will ihr sicher nicht helfen. Das sitzt den ganzen Tag in der Küche und öffnet die Tür nur auf Anruf [1]. Da bleibt nur die Mutter. Als der Vater einmal ausgegangen ist, wollen die beiden Frauen zusammen in Gregors Zimmer gehen. Aber an der Tür hat die Mutter doch Angst. Die Schwester geht zuerst hinein. Gregor ist schnell unter das Sofa gekrochen. „Komm nur", sagt die Schwester zur

---

1. **r Anruf(e)** : (hier) „Hallo".

DIE VERWANDLUNG

Mutter, „man sieht ihn nicht." Die beiden Frauen wollen den Schrank aus dem Zimmer schieben. Gregor hört sie arbeiten, aber es geht nur sehr langsam. Schließlich will die Mutter resigniert den Schrank zurück an die Wand schieben. „Es hat keinen Sinn", sagt sie, „und es sind doch Gregors Möbel. Sollen wir ihm denn alles wegnehmen, was er von früher hat?" Sie spricht sehr leise, vielleicht soll Gregor nichts hören. „Vielleicht wird doch alles wieder gut. Glauben wir das denn nicht mehr?"

Gregor wird traurig. Will er wirklich ein leeres Zimmer? Will er sein warmes Zimmer in eine Höhle verwandelt sehen? Hat er denn nichts Menschliches mehr an sich? Nichts soll weg, denkt er jetzt. Aber die Schwester sieht das anders. Sie ist die Sachverständige [2]. Sie ist jetzt eine selbstsichere junge Frau. Bald gibt die Mutter ihr Recht und zusammen schieben sie den Schrank hinaus. Gregor kriecht unter dem Sofa hervor. Schon kommt die Mutter wieder ins Zimmer. Gregor kriecht schnell unter das Sofa zurück. Aber die Mutter sieht das Bettuch sich bewegen und läuft wieder hinaus.

Der Schrank ist also fort. Jetzt kommen sie zurück und schieben auch den Schreibtisch hinaus. An diesem Schreibtisch hatte Gregor schon als Kind seine Schulaufgaben gemacht. Alles nehmen sie ihm. Aber etwas will er doch behalten: das Bild der Frau im Pelzmantel an der Wand. Schnell kriecht er die Wand hinauf und legt sich auf das Glas. Die Frauen kommen wieder herein. „Was nehmen wir jetzt?" fragt die Schwester. Da sieht

2. **r/e Sachverständige** : Experte/Expertin.

sie Gregor an der Wand. Sie stellt sich vor die Mutter und sagt:
„Komm, wir wollen noch einen Moment im Wohnzimmer
ausruhen." Die Mutter macht einen Schritt zur Seite und sieht
den großen braunen Fleck an der Wand. Sie schreit. „Das ist
Gregor," denkt sie. Sie fällt aufs Sofa und bewegt sich nicht
mehr. Die Schwester sieht zu Gregor hin, sie hebt die Faust und
ruft böse: „Du, Gregor!" Zum ersten Mal seit der Verwandlung
sagt sie ein Wort zu ihm. Sie läuft ins Nebenzimmer und will
eine Essenz für die Mutter holen. Gregor kriecht von dem Bild
herunter und folgt ihr. Er möchte ihr helfen, wie früher. Aber er
kann jetzt nur hinter ihr stehen, ohne ein Wort zu sagen. Grete
sucht noch das richtige Fläschchen in der Medizintasche. Dann
dreht sie sich um. Sie sieht Gregor hinter sich und lässt eine
Flasche fallen. Ein Glassplitter schneidet Gregor im Gesicht. Die
Schwester nimmt alle Fläschchen in den Arm und läuft zur
Mutter. Die Tür schlägt sie mit dem Fuß zu. Jetzt kann Gregor
nicht zur Mutter. Vielleicht stirbt sie, und es ist seine Schuld.
Was soll er tun? Er kriecht im Wohnzimmer herum, über die
Wände, über die Möbel, über die Decke. Schließlich fällt er
müde auf den großen Tisch in der Mitte. So liegt er eine Weile
da. Dann läutet es. Der Vater ist nach Hause gekommen. Grete
öffnet. Noch im Vorzimmer fragt der Vater: „Was ist
geschehen?" „Gregor ist ausgebrochen [3]", antwortet die
Schwester. „Ich wusste es!" ruft der Vater. „Ich habe es immer
gesagt, aber ihr Frauen wolltet nicht auf mich hören."

Gregor läuft zur Tür seines Zimmers. Er will doch nur in sein

---

3. **ausbrechen (ausgebrochen)** : z.B. ein Tier ist aus dem Zoo weggelaufen.

Zimmer zurück. Der Vater soll das sehen. Aber der Vater will Gregors Absicht nicht verstehen. Er kommt ins Wohnzimmer und ruft laut: „Ah!" Gregor dreht sich um.

Ist das sein Vater? Der sonst schon am frühen Abend im Schlafrock im Sessel gesessen hatte und Gregor nur kurz mit der Hand grüßte [4], weil er nicht aufstehen konnte? Sein Vater, der nur sonntags mit ihnen spazieren ging, am Stock, noch langsamer als die Mutter? Nun steht er ganz gerade da. Er trägt eine blaue Uniform mit Goldknöpfen, wie sie Diener in Bankinstituten tragen. Seine Haare sind gekämmt, ein Doppelkinn schiebt sich über den Hemdkragen [5]. Jetzt geht er, die Hände in den Taschen, böse auf Gregor zu. Was will er tun? Er hebt die Füße sehr hoch. Wie groß sie sind! Gregor flieht [6] vor dem Vater. Sie drehen mehrere Runden [7] im Zimmer. Es sieht nicht gefährlich aus, denn sie sind sehr langsam. Gregor kriecht auf dem Boden weiter. Er will nicht die Wände hoch kriechen, will nicht aus der Wohnung laufen; denn dann, denkt er, ärgert sich der Vater noch mehr. Aber Gregor wird bald müde. Er muss all seine kleinen Beinchen bewegen, der Vater nur zwei. Gregor bekommt keine Luft [8] mehr, seine Lungen [9] sind nie besonders gut gewesen. Da fällt etwas neben ihm auf den Boden. Es ist ein kleiner roter Apfel. Der Vater hat die Äpfel vom Tisch genommen und sich in die Tasche gesteckt. Jetzt wirft er, ohne genau zu zielen [10], nach Gregor. Die

---

4. **grüßen** : Guten Tag sagen.
5. **r Hemdkragen(=)** : am Hals, oberer Rand des Hemdes.
6. **fliehen** : weg laufen.
7. **e Runde(n)** : zirkuläre Bewegung.
8. **e Luft** : (hier) O2.
9. **e Lunge** : Organ, mit dem der Körper Luft assimiliert.
10. **zielen** : zu treffen versuchen.

roten Äpfel rollen über den Boden. Aber ein Apfel trifft, schlägt ein Loch in seinen Rücken und bleibt dort hängen. Gregor bleibt stehen. Er hat Schmerzen. Ihm wird schwarz vor Augen. Da kommt die Mutter ins Zimmer. Die Schwester läuft hinter ihr her. Die Mutter trägt nur ein Hemd und ihre Unterröcke. Sie läuft zum Vater. Ein Unterrock nach dem anderen fällt zu Boden, sie fällt auch, steht wieder auf, fällt wieder – und umarmt den Vater. „Tu ihm nichts", bittet sie ihn. Aber das hört Gregor nicht mehr.

Leseverständnis

1 **Was ist richtig?**

		R	F
1.	Gregor steht den ganzen Tag am Fenster.	☐	☐
2.	Die Schwester denkt, die Mutter will Gregor nicht sehen.	☐	☐
3.	Gregors Mutter will die Möbel zuerst nicht aus dem Zimmer schieben, weil das Zimmer dann nicht mehr menschlich aussieht.	☐	☐
4.	Die Schwester will Schrank und Schreibtisch im Zimmer lassen.	☐	☐
5.	Gregor ist nicht sicher, ob er ohne Möbel leben will.	☐	☐
6.	Gregor ist sicher, dass er das Bild von der Frau nicht mehr sehen will.	☐	☐
7.	Gregor deckt das Bild an der Wand zu.	☐	☐
8.	Zuerst sieht ihn die Mutter nicht.	☐	☐
9.	Dann spricht sie ihn an.	☐	☐
10.	Gregor geht hinter seiner Schwester ins Wohnzimmer.	☐	☐
11.	Die Schwester freut sich über die Hilfe.	☐	☐
12.	Der Vater kommt nach Hause und will Gregor helfen.	☐	☐
13.	Die Schwester sagt dem Vater, dass Gregor aus seinem Zimmer gekommen ist.	☐	☐
14.	Der Vater läuft hinter Gregor her.	☐	☐
15.	Der Vater tut Gregor weh.	☐	☐
16.	Gregor geht dann in sein Zimmer zurück.	☐	☐

2 Verwandlungen

1. Gregors Verwandlung geht langsam vor sich. Am ersten
   Morgen hat sich Gregor in ein Insekt verwandelt. Jetzt hat er
   Beinchen anstelle der Beine und Arme, einen gepanzerten
   Rücken ... Dann hat er immer mehr Probleme beim Sprechen,
   und spricht gar nicht mehr. Im Dunkeln kann er sich mit
   Hilfe seiner Fühler gut orientieren. Aber was ist mit seinen
   Augen? Mit den Beinchen ist er nicht sehr schnell, aber er
   kann etwas, was er vorher nicht konnte. Was? Manchmal fällt
   er, aber er tut sich nicht weh. Warum nicht?

2. Die Schwester konnte nur Violine spielen und sich nett
   anziehen. Jetzt ist sie es, die sich um Gregor kümmert. Was
   tut sie? Sie ist die Sachverständige, heißt es jetzt. Das heißt:
   sie ist die Expertin für „die Sache". Warum fragt sie Gregor
   nicht direkt, was er will? Wie hat sich ihre Beziehung zu
   Gregor verändert?

3. Der Vater konnte nicht gut aufstehen und nur sehr langsam
   gehen. Was ist mit ihm geschehen. Als er nach Hause kommt,
   sagt er: „Ich habe es immer gesagt." Was, glaubst du, hat er
   immer gesagt?

4. Was kannst du über den Charakter und das Verhalten der
   Mutter sagen?

Vater Unser

Groß steht er vor seinem Sohn, das Doppelkinn vorgeschoben, und stampft mit den Füßen auf. Dabei hebt er die Beine hoch. Was will er tun? Will er seinen Sohn zertreten? Vielleicht, aber zuerst wirft er kleine rote Äpfel nach ihm, einen nach dem anderen.

Der römische Gott Jupiter (Zeus) hatte Blitze geschleudert. Aus den Blitzen sind kleine rote Äpfel geworden. Für Gregor ist einer dieser lächerlichen kleinen Äpfel tödlich.

Die Majestät zeigt sich im Doppelkinn, und er trägt eine Uniform mit Goldknöpfen, wie ein Bankdiener. Aber er ist Herr über Leben und Tod des kleinen Gregor, ein Gott.

Kafka selbst hat, wenige Jahre vor seinem Tod, den Brief an den Vater geschrieben. Er ist erst nach seinem Tod erschienen. Schon am Anfang ist ein Leitmotiv sichtbar: die Furcht.

Er selbst ist, schreibt er, *ein schwächlicher, ängstlicher, zögernder, unruhiger Mensch geworden.* Der Vater war immer *ein wirklicher Kafka an Stärke,*

Hermann Kafka (1852-1931)

Gesundheit, Appetit, Stimmkraft, Redebegabung, Selbstzufriedenheit.
Im folgenden Text brauchst du nicht jedes Wort zu verstehen.
Unterstreiche, was du verstehst.

Liebster Vater,

Du hast mich letzthin einmal gefragt, warum ich behaupte, ich hätte Furcht vor Dir. Ich wusste Dir, wie gewöhnlich, nichts zu antworten, ...
Es schien Dir etwa so zu sein: Du hast Dein ganzes Leben lang schwer gearbeitet, alles für Deine Kinder, vor allem für mich geopfert, ich habe (...) Freiheit gehabt zu lernen was ich wollte, habe keinen Anlass zu Nahrungssorgen, also zu Sorgen überhaupt gehabt; Du hast dafür keine Dankbarkeit verlangt, Du kennst „die Dankbarkeit der Kinder" (...)
Ich erinnere mich zum Beispiel daran, wie wir uns öfters zusammen in einer Kabine auszogen. Ich mager, schwach, schmal, Du stark, groß, breit. Schon in der Kabine kam ich mir jämmerlich vor, und zwar nicht nur vor Dir, sondern vor der ganzen Welt, (...)
Man musste nur über irgendeine Sache glücklich sein, von ihr erfüllt sein, nach Hause kommen und es aussprechen und die Antwort war ein ironisches Seufzen, ein Kopfschütteln, ein Fingerklopfen auf den Tisch: „Hab auch schon etwas Schöneres gesehn" oder (...) „Kauf Dir was dafür!"

1 Fragen:

1. Der Text ist ein bisschen schwierig. Kannst du in eigenen Worten wiederholen, was der Vater gesagt hat? Wie hat der kleine Franz den Vater gesehen?

2. Franz hat Angst vor dem großen und starken Vater. Aber das ist nicht alles.
Der Vater erzählt oft von seinem früheren Leben, um dem Kind zu erklären, wie schön es jetzt leben dürfe. Kennst du diese Art von Legenden auch noch? Oder sehen sie heute anders aus? Was erzählen Väter aus ihrer Jugend?

3. Kommt das Kind voll Begeisterung („Enthusiasmus") zu ihm, reagiert der Vater nicht positiv; da ist der große Vater kleinlich. Was kann man / kann ein Kind gegen solche Reaktionen tun?
Hat das alles etwas mit der *Verwandlung* zu tun?

2 Interpretation und Recherche
Die Verwandlung hat, vielleicht nur ironisch, eine religiöse Dimension.

Ist Gregors Vater Gott? Der schreckliche, strafende Gott des Alten Testaments? Jemand, der sich an Gottes Stelle setzt? Die Jüdische Mystik kennt die Figur des Demiurgen, hinter dem der wahre Gott nicht sichtbar ist, dessen Namen wir nicht kennen.

Oder ist er doch nur der Vater, der sich wie ein Gott aufspielt? Das kann ja nicht Gott sein: ein Bankdiener des Universums?

Teil III

KAPITEL 1

Gregor ist schwer verwundet [1]. Der Apfel bleibt in seinem Fleisch hängen. Mehr als einen Monat lang ist er krank. Gregor kann sich nicht mehr gut bewegen. Wie ein alter Invalide liegt er am Boden und braucht für jede Bewegung viel Zeit. Das tut auch dem Vater Leid. Gregor ist auch jetzt noch ein Teil der Familie.

Abends öffnet man jetzt die Tür zu Gregors Zimmer. Er selbst bleibt im Dunkeln, aber er kann der Familie beim Abendessen zusehen [2] und zuhören [3].

Allerdings sind die Abendessen jetzt recht langweilig. Früher hatten sie viel und lange miteinander gesprochen. Jetzt schläft der Vater gleich [4] nach dem Essen ein. Die Mutter macht Handarbeiten für ein Modegeschäft. Die Schwester lernt abends Stenographie und Französisch. Sie arbeitet als

---

1. **verwundet** : so getroffen, dass er/sie jetzt blutet.
2. **jdm. zusehen** : sehen, was die anderen machen (ohne selbst etwas zu tun).
3. **jdm. zuhören** : hören, was die anderen sagen (ohne selbst zu sprechen).
4. **gleich** : sofort, direkt.

Verkäuferin und will später eine bessere Arbeit finden. Manchmal wacht der Vater auf und sieht die Mutter an. Dann lächeln alle müde.

Der Vater zieht auch zu Hause die neue Uniformjacke nicht aus, auch beim Abendessen nicht.

Um zehn Uhr weckt die Mutter den Vater leise und bittet ihn, ins Bett zu gehen. Aber er will nicht. Schließlich packen [5] Mutter und Schwester ihn an den Schultern und er wacht auf, steht langsam auf, geht langsam, mit Hilfe der beiden Frauen, zu Bett. „Das ist ein Leben. Das ist nun die Ruhe meines Alters."

In dieser müden Familie hat niemand Zeit für Gregor. Dem Dienstmädchen müssen sie kündigen [6]. An seiner Stelle kommt zweimal am Tag eine große magere Frau und macht sauber. Alles andere macht jetzt die Mutter. Das größte Problem bleibt die Wohnung. Sie ist zu groß und zu teuer. Doch wie sollen sie mit Gregor in eine andere Wohnung umziehen? Aber nicht Gregor ist das Problem, ihn kann man doch in eine große Kiste mit ein paar Luftlöchern stecken. Die Familie will nicht zugeben [7], dass sie ein großes Unglück [8] getroffen hat.

Ist der Vater im Bett, setzen sich Mutter und Schwester noch einen Augenblick ins Wohnzimmer. „Mach nun die Tür zu", sagt dann die Mutter. Sie weinen oft.

Gregor hat Schmerzen. Er schläft nur noch sehr wenig.

---

5. **packen** : energisch nehmen.
6. **jdm. kündigen** : jdm. sagen, dass man ihn/sie nicht mehr braucht (oder will).
7. **etwas zugeben** : etwas (Schlimmes oder Böses) sagen, was man gemacht hat.
8. **s Unglück(e)** : Katastrophe.

Manchmal denkt er, es kann wieder alles wie früher werden und er kann das Geld für die ganze Familie verdienen. Er sieht wieder alle vor sich: den Prokuristen, den Chef, den Lehrjungen, zwei, drei Freunde aus anderen Geschäften, ein Zimmermädchen in einem Hotel in der Provinz, eine Verkäuferin, für die er, allerdings zu spät, ernsthaftes Interesse gezeigt hatte.

Er denkt an all diese Leute, aber sie sind alle sehr weit weg. Niemand hilft ihm und seiner Familie. Dann interessiert ihn das wieder nicht mehr. Er hat Hunger. Man hat keine Zeit für ihn. Morgens und mittags schiebt die Schwester eilig [9] einen Teller mit Essensresten ins Zimmer. Ob er etwas gegessen hat, interessiert sie nicht mehr. Hastig [10] fegt sie alles mit dem Besen weg. Abends räumt sie noch sein Zimmer auf, aber auch das geschieht jetzt sehr schnell. Gregors Zimmer wird immer schmutziger.

Eines Tages kommt die Mutter und putzt das ganze Zimmer mit viel Wasser. Abends sieht die Schwester das und ärgert sich sehr. Sie geht ins Wohnzimmer, sie schreit und weint. Der Vater meint, die Mutter soll das Putzen der Schwester überlassen, aber der Schwester sagt er, sie soll nie wieder dort putzen. Alle schreien laut. Die beiden Frauen bringen den Vater ins Bett. Er ist außer sich [11].

Aber haben sie nicht auch eine Bedienerin [12]? Warum

---

9. **eilig** : schnell.
10. **hastig** : schnell (und mit nervösen Bewegungen).
11. **außer sich sein** : sehr böse (oder sehr erfreut) sein, die Kontrolle verlieren.
12. **e Bedienerin** : Hilfe fürs Haus, die stundenweise kommt.

lassen sie die nicht sauber machen? Diese alte Witwe hat schon vieles erlebt und hat auch vor Gregor keine Angst. Eines Tages war sie in sein Zimmer gekommen. Gregor war vor Schreck im Zimmer hin und her gelaufen. Sie war nur stehen geblieben und hatte ihm zugesehen. Seitdem öffnet sie jeden Morgen und jeden Abend Gregors Tür und sagt Dinge wie „Komm mal her, alter Mistkäfer!" Einmal ist Gregor böse und kriecht auf die Bedienerin zu. Die Bedienerin aber hebt einen Stuhl hoch und Gregor versteht sofort, was sie will. Er bleibt stehen.

„Also weiter geht es nicht?" fragt die Bedienerin und stellt den Stuhl wieder auf den Boden.

Gregor isst nur noch sehr wenig. Nur manchmal, wenn er in der Nähe des Tellers herumkriecht, nimmt er einen Bissen. Das Zimmer wird immer trauriger, aber das findet Gregor jetzt normal. Hier werden jetzt alte Möbel abgestellt, denn die Familie hat ein Zimmer an drei Herren vermietet. Diese drei Zimmerherren haben es gern sauber und wollen in ihrem Zimmer keine alten und unpraktischen Möbel stehen haben. Alles, was nicht mehr gebraucht wird, kommt in Gregors Zimmer. Bald steht dort auch der Ascheneimer [13] und der Abfalleimer aus der Küche. Gregor kriecht zwischen den alten und schmutzigen Dingen herum. Das macht ihm Spaß, aber er ist immer sehr müde und kann sich dann wieder stundenlang nicht bewegen.

Manchmal essen die Zimmerherren abends zu Hause im Wohnzimmer. Dann bleibt Gregors Tür geschlossen. Was im Wohnzimmer geschieht, interessiert Gregor auch nicht mehr sehr.

---

13. r Ascheneimer : die Asche aus Kohleöfen und -herden kommt da hinein.

Leseverständnis

1 **Ergänze:**

1. Gregor kriecht nicht mehr an der Decke herum, sondern ...
2. Der Vater sitzt nicht mehr im Schlafrock beim Essen, sondern ...
3. Jetzt haben sie kein Dienstmädchen mehr, sondern ...
4. Die Familie will nicht in eine andere Wohnung ziehen, weil ...
5. Gregor denkt an sein früheres Leben, aber ...
6. Die Mutter soll nicht das Zimmer putzen, aber sie ...
7. Die Bedienerin hat keine Angst vor Gregor, sondern ...
8. In Gregors Wohnung ist man nicht mehr „unter sich", denn ...

2 **Beantworte die Fragen:**

1. Gregor ist sehr krank. Warum?
2. Ganz harmonisch sitzt abends der Rest der Familie am Tisch, und auch Gregor darf zusehen. Was sieht er dort, was tun Schwester und Mutter? Woran denken hier immer alle?
3. Warum wird das Zimmer immer schmutziger?
4. Gregors Zimmer wird langsam zu einer Abstellkammer. Was steht in der Abstellkammer? Und was ist Gregor jetzt für die anderen?
5. Wo schläft jetzt die Schwester?
6. In der Wohnung gibt es eine Küche, ein Wohnzimmer und drei andere Zimmer. Wer wohnt wo?

3 Spekulation

– *Der hat eine Leiche [1] im Keller*, sagt man im Deutschen über jemanden, der Schlechtes getan hat, von dem niemand weiß und wissen soll. Gibt es in deiner Sprache einen ähnlichen Ausdruck?

– In jeder Wohnung gibt es dunkle Ecken oder Zimmer, die man Besuchern nicht zeigt. Was meinst du: hat jeder etwas zu verstecken [2]? oder jede Familie?

– Unsere Familie hat ein Insekt im Abstellraum. Warum darf niemand etwas davon wissen? Fühlen sich die Eltern und/oder die Schwester schuldig?

Grammatik

Temporalkonjunktionen

als – wenn – wann – ob

Als Gregor Samsa eines Morgens ... erwachte so beginnt Kafkas Text. Er gebraucht „als", weil das, was da erzählt wird, in der Vergangenheit und nur einmal geschehen ist. Hat sich jemand jeden Morgen verwandelt, heißt es: *Wenn Dr. Jekyll sich in Mr. Hyde verwandelte ...* (jede Nacht)

Andere Beispiele: *Als ich jung war, spielte ich gut Fußball.*
(Man ist nur einmal jung!)
Wenn ich Fußball spielte, lachten alle.
(mehr als einmal).

Kleine Komplikation Nr.1: Beim Erzählen gebrauchen wir manchmal das Präsens, obwohl sich alles in der Vergangenheit abspielte. Dann steht oft (aber nicht obligatorisch) auch ein „als".

Beispiel: *... und als ich da um die Ecke komme, steht Dracula vor mir und lacht mich an ...*

---

1. **e Leiche(n)** : der Kadaver.
2. **verstecken** : etwas so stellen oder legen, dass es niemand sieht.

Kleine Komplikation Nr.2: In Interrogativsätzen steht „wann" oder „ob".

Sie fragt: Wann kommst du? → Sie fragt, wann du kommst.
Sie fragt: Kommst du? → Sie fragt, ob du kommst.

4 Was passt? *Wenn, wann, ob* oder *als*?

1. .... sie Gregor an der Wand sitzen sah, hat sich die Schwester geärgert.

2. .... sie abends zusammen sitzen, schläft der Vater ein.

3. .... er nach Hause kommt, liegt Gregor im Wohnzimmer auf dem Tisch.

4. .... er die Äpfel nach Gregor geworfen hat, war der Vater sehr böse.

5. .... er Lust hat, spaziert er an der Zimmerdecke herum.

6. .... die Schulden bezahlt sind, will Gregor nicht mehr für den Chef arbeiten.

7. .... er sich in einen Menschen verwandelt, wissen wir nicht.

8. .... die Bedienerin zurückkommt, hat der Vater nicht gefragt.

9. .... der Arzt dann gekommen ist, wissen wir nicht. Dass er gekommen ist, wissen wir.

10. .... die Schwester das Essen bringt, macht sie auch das Zimmer sauber.

5 Bilde Sätze mit *wann, ob, als* oder *wenn*:

Beispiel: Gregor fragt mich immer, wann er wieder normal wird.

- Die Eltern waren zufrieden
- Gregor weiß auch nicht
- Gregor fragt mich immer
- Gregor hatte wenig Freunde

- er war Vertreter
- er war jung
- er ging in die Schule
- er wird wieder normal

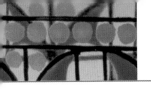

KAFKA UND DAS JUDENTUM

Der Schauspieler
Isaak Löwy

Kafkas Eltern sind assimilierte Juden. Hermann Kafka, Franz' Vater, besucht die „moderne Synagoge", wo Tschechisch gesprochen wird. Er will von religiösen Problemen nicht viel wissen. Er hält Distanz zu den armen *chassidim* aus Polen und den Juden aus den russischen Ghettos. Das beginnt schon bei der Sprache. Hermann Kafka spricht Deutsch und Tschechisch. Viele Vertreter des osteuropäischen Judentums sprechen Jiddisch, eine Sprache, die deutsche, hebräische und polnische Elemente vermischt – *Jiddisch ist die einzige Sprache, in der alle Wörter Fremdwörter sind,* hat man gesagt. Im heutigen Deutsch gibt es noch einige jiddische Wörter, zum Beispiel *meschugge* (verrückt) oder *Schlamassel* (großes Problem, Unglück).

Franz Kafka lernt 1911 das jiddische Theater kennen und freundet sich mit einem Schauspieler an, dem polnischen Juden Isaak Löwy. Kafkas Vater ist schockiert. Die Schauspieler sind

sehr arme Leute, sie wollen sich nicht *assimilieren*, und sie wollen keinen bürgerlichen Beruf ergreifen. Für Hermann Kafka sind diese Leute wie *Ungeziefer*. Er denkt dabei auch an wirkliches Ungeziefer, an Schmutz, und sagt zum Beispiel über Franz' Schauspieler-Freundschaften: *Wer sich mit Hunden ins Bett legt, steht mit Wanzen auf.*

Schmutz und Sünde ist das jiddische Theater allerdings auch für viele orthodoxe Juden.

1 **Fragen:**

1. Welches Interesse kann Kafka an einem *anderen* Judentum gehabt haben?

2. Warum hat Franz' Vater so extrem auf Franz' Kontakte reagiert?

3. *Ungeziefer* ist auch Gregor Samsa, aber nicht nur im metaphorischen Sinne. Siehst du Elemente des Protests in dieser *Verwandlung*?

KAPITEL 2

Einmal lässt die Bedienerin Gregors Tür einen Spalt weit offen. So kann er die Zimmerherren sehen. Sie setzen sich an den Tisch, wo früher die Familie gesessen hatte. Dann kommen die Mutter und die Schwester und servieren ihnen das Essen. Einer der Zimmerherren steht auf und schneidet das Fleisch, wie um zu kontrollieren, ob es gut ist. Schließlich kommt auch der Vater ins Wohnzimmer und wünscht den Zimmerherren guten Appetit. Die Familie isst in der Küche. Die Zimmerherren sitzen im Wohnzimmer und sagen während des Essens nichts. „Ich sterbe vor Hunger", denkt Gregor, „und die essen sich satt."

An diesem Abend hört man jemanden in der Küche Violine spielen.

Die Zimmerherren stehen auf und gehen an die Tür. Sie horchen.

Der Vater öffnet die Tür. „Stört die Herren die Musik?" fragt er.

DIE VERWANDLUNG

„Nein, nein", antwortet der mittlere der Herren. „Warum kommt das Fräulein nicht zu uns herein und spielt im Wohnzimmer?"

Bald kommt der Vater mit dem Notenständer [1] ins

---

1. **r Notenständer(=)** : leichtes Metallobjekt, auf dem die Noten liegen.

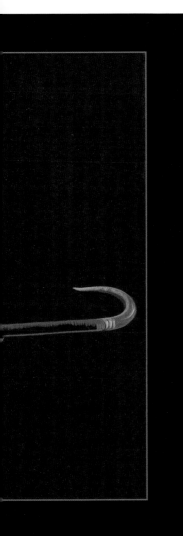

Wohnzimmer, die Mutter mit den Noten und die Schwester mit der Violine.

Die Schwester beginnt zu spielen.

Gregor hört das Spiel und kriecht bis zur Tür, schiebt den Kopf vor. Denkt er nicht an die Zimmerherren?

Er sieht noch schrecklicher aus als früher, denn er ist jetzt auch sehr schmutzig. Aber er kriecht langsam weiter vor.

Niemand bemerkt ihn. Alle hören dem Violinespiel zu.

Allerdings stehen die Zimmerherren am Fenster und sprechen miteinander. Sie sehen nervös aus. Gefällt ihnen das Spiel nicht? Aber die Schwester spielt doch so schön.

Gregor kriecht weiter. Er will der Schwester in die Augen sehen.

Ist er denn ein Tier? Er liebt diese Musik.

Er will seine Schwester bitten, in seinem Zimmer für ihn zu spielen, nicht hier für diese Männer. „Den Männern gefällt dein Spiel nicht, sie sollen fortgehen, ich will sie erschrecken." Er will es ihr ins Ohr sagen. Und aufs Konservatorium soll sie gehen.

„Herr Samsa", sagt da der mittlere

Herr zu Gregors Vater und zeigt auf Gregor. Der mittlere Herr lächelt den anderen beiden Herren zu und schüttelt den Kopf. Alle drei sehen Gregor an und scheinen ihn interessanter als das Violinspiel zu finden. Gregors Vater geht mit ausgebreiteten Armen auf sie zu. Sie sollen in das andere Zimmer gehen. Die Herren werden jetzt böse. Sie wollen Erklärungen und gehen nur langsam zur Tür. Die Schwester gibt der Mutter ihre Violine und springt schnell in das Zimmer der Herren, wo sie die Betten macht. Dann kommt sie wieder heraus. Die Zimmerherren stehen schon an der Zimmertür. Der mittlere stampft mit dem Fuß auf, hebt die Hand und sagt: „In dieser Wohnung können wir unmöglich bleiben. Ich kündige hiermit das Zimmer. Es versteht sich von selbst, dass ich nach all dem", und er sieht Gregor an, „auch für die vergangenen Tage keine Miete zahle." „Wir kündigen auch", sagen die beiden anderen Herren. Dann gehen alle drei Zimmerherren in ihr Zimmer und schlagen die Tür zu.

Der Vater fällt in den Sessel. Sein Kopf bewegt sich hin und her. Die Mutter lässt die Violine fallen. Gregor liegt noch immer auf dem Boden des Wohnzimmers. Er kann sich nicht bewegen. Er ist zu schwach und zu traurig. Jetzt ist alles zu Ende, denkt er.

„Liebe Eltern", sagt die Schwester und schlägt mit der Hand auf den Tisch. „So geht es nicht weiter. Versteht ihr das nicht? Ich will das Ding da nicht mit dem Namen meines Bruders nennen. Ich sage nur: Es muss weg. Wir haben alles für dieses Untier [2] getan. Niemand kann uns einen Vorwurf machen."

---

2. **s Untier(e)** : die Bestie.

„Sie hat tausendmal Recht", sagt der Vater. Die Mutter hustet. Die Schwester geht zu ihr und hält ihr die Hand.

„Wir müssen es loswerden", sagt die Schwester. Die Mutter hustet und kann sie nicht hören. „Es bringt euch noch ins Grab. Wir müssen alle den ganzen Tag schwer arbeiten. Da ist das hier einfach zu viel. Für euch, und für mich auch." Sie weint.

„Kind", fragt der Vater verständnisvoll, „was sollen wir denn tun?"

Die Schwester antwortet nicht.

„Er versteht uns auch nicht", sagt der Vater.

Die Schwester schüttelt den Kopf [3].

„Er versteht uns auch nicht", wiederholt der Vater. „Wir können zu keiner Einigung mit ihm kommen. Also – "

„Es muss weg", ruft die Schwester. „Es gibt keinen anderen Weg, Vater. Denk nicht daran, dass es Gregor ist. Das haben wir schon zu lange geglaubt. Wie kann es denn Gregor sein? Wenn es Gregor ist, warum geht es dann nicht fort? Sieh nur Vater", schreit sie plötzlich, „da fängt es schon wieder an." Die Schwester springt auf und stellt sich hinter den Vater.

„Warum hat sie jetzt Angst vor mir?" fragt sich Gregor. Er will nur in sein Zimmer zurück. Das dauert lange, denn er ist schwach. Er dreht sich immer wieder um, sieht, was die anderen tun. Oft schlägt sein Kopf auf den Boden. Es ist jetzt weit bis in sein Zimmer. Die Schwester bewegt sich nicht. Gregor dreht sich nicht mehr um. Er kriecht, so gut er kann.

---

3. **den Kopf schütteln** : heißt in Deutschland „nein".

Niemand sagt ein Wort, aber Gregor bemerkt das nicht. Er setzt langsam ein Bein vor das andere. An der Tür angekommen, dreht er sich noch einmal um. Seine Schwester steht auf. Die Mutter ist eingeschlafen. Dann kriecht er in sein Zimmer. Sofort wird die Tür zugeschlagen und verschlossen. Das geht so laut, dass Gregor sich erschreckt. Das ist die Schwester. „Endlich!" ruft sie.

„Und jetzt?" fragt sich Gregor und sieht sich um. Es ist dunkel. Er kann sich nicht mehr bewegen. Er hat Schmerzen im ganzen Leib. Der Apfel in seinem Rücken schmerzt nur noch wenig. Er denkt an seine Familie. Er muss weg, das denkt er auch.

Er liegt da und denkt nach, bis es drei Uhr schlägt. Er sieht noch, wie es vor den Fenstern hell wird. Dann sinkt sein Kopf zu Boden.

Leseverständnis

1 **Verbinde, was (inhaltlich) zusammen passt:**

- Die Schwester
- Die Zimmerherren
- Gregor
- Der Vater

- Die Mutter

- bringt den Notenständer
- will die Herren nicht stören
- wollen die Schwester spielen hören
- will nicht, dass die Herren Gregor ansehen
- spielt Violine
- will der Schwester etwas sagen
- hat keine Zeit mehr
- will mit der Schwester allein sein
- sprechen und hören nicht richtig zu
- ärgert sich über die Zimmerherren

2 **Beantworte die Fragen:**

1. Warum kann Gregor ins Wohnzimmer kriechen?

2. Im Wohnzimmer essen jetzt die Zimmerherren. Welche Rolle spielen Gregors Eltern jetzt in ihrer Wohnung?

3. Warum will Gregor zu seiner Schwester?

4. Die Schwester macht ihnen schnell das Bett. Der Vater will, dass sie in ihr Zimmer gehen. Was wollen die Zimmerherren?

5. „Was sollen wir denn tun?" fragt der Vater seine Tochter. Er spielt jetzt nicht mehr den starken Übervater. Nur die Schwester scheint die Lage in der Hand zu haben. Was will sie? Was sagt der Vater dazu? Hat er Recht?

6. Warum hat die Schwester plötzlich Angst vor Gregor?

7. Die Mutter hustet und hustet und versteht nicht. Warum will sie nicht verstehen?

3 Verständigung

Am Anfang der Geschichte hatte Gregor noch gesprochen, aber niemand hat ihn mehr verstanden. Dann hat er nur noch gezeigt, was er wollte. Schon lange spricht niemand mehr mit ihm. Dann hört er die Musik der Schwester und glaubt, ... was? Was meinst du: Können wir uns mit Musik besser verständigen als mit Worten? Warum versteht die Schwester nicht, was Gregor will?

Wortschatz

4 **Es gibt im Deutschen viele Verben mit dem untrennbaren Präfix ver-, die man leicht verwechseln kann. Welches Verb aus der Liste passt (evtl. in substantivierter Form)?**

Beispiel: Er soll mich nicht sehen und ich verkrieche mich unter dem Tisch wie ein kleines Tier.

1. Der Chef ist heute nicht da. Ich .... ihn.

2. Die Chefin ist noch nicht da. Sie hat gestern lange gearbeitet und heute Morgen hat sie sicher ....

3. Er sitzt auf seinem Tisch und sagt nur „Lalala". Ich glaube, er ist .... geworden.

4. Bei der Bombenexplosion hat es drei Tote und vier .... gegeben.

5. Den Acht-Uhr-Flug nach Düsseldorf haben wir .... und müssen auf das nächste Flugzeug warten.

6. Wo hat sich der Junge wieder ....? Ich kann ihn nicht finden.

7. Sie kann die Probleme ihres Bruders nicht ....

8. Den Butterfleck auf der Tapete können wir mit einem großen Foto ....

---

verkriechen – verrückt – verschlafen – verdecken –
verpassen – verwunden – verstehen – vertreten – verstecken

KAPITEL 3

Track 11

A m frühen Morgen kommt die Bedienerin und schlägt, wie immer, laut die Türen. An Schlaf ist nicht mehr zu denken. Sie schließt die Tür zu Gregors Zimmer auf und sieht, wie jeden Morgen, hinein. Er bewegt sich nicht. Sie nimmt den Besen und versucht ihn ein wenig zu kitzeln. Aber Gregor bewegt sich nicht. Dann stößt sie ihn mit dem Besen, schiebt ihn ein Stück. Nichts. Sie macht große Augen, pfeift [1] und macht die Tür des Schlafzimmers auf. Mit lauter Stimme ruft sie ins Dunkel hinein: „Sehen Sie nur mal, es ist krepiert. Da liegt es und ist krepiert."

Herr und Frau Samsa sitzen im Ehebett. Dann verstehen sie endlich, was geschehen ist und springen eilig aus dem Bett. Grete kommt, sie ist schon angezogen. Vielleicht hat sie nicht geschlafen. Sie sehen sich an, gehen in Gregors Zimmer. „Tot?" fragt Frau Samsa. „Das kann man wohl sagen", sagt die

---

1. **pfeifen** : mit den Lippen einen (musikalischen) Ton produzieren.

Bedienerin und stößt mit dem Besen Gregors Leiche noch ein Stück nach links. „Nun", sagt Herr Samsa, „jetzt können wir Gott danken." Er bekreuzigt sich, die drei Frauen tun es auch. Grete sieht Gregors Leiche an und sagt: „Seht nur, wie mager er war. Er hat ja schon lange Zeit nichts mehr gegessen."

„Komm, Grete", sagt die Mutter, und Grete geht hinter ihren Eltern ins Schlafzimmer. Die Bedienerin schließt die Tür und öffnet das Fenster. Die Luft ist warm. Es ist schon Ende März.

Die drei Zimmerherren kommen aus ihrem Zimmer und wollen frühstücken. Aber es steht nichts auf dem Tisch. „Wo ist unser Frühstück?" fragt der mittlere Herr. Die Bedienerin legt den Finger an den Mund und winkt die Herren in Gregors Zimmer. Sie kommen auch und stehen dann, die Hände in den

Taschen, um Gregors Leiche herum. Herr Samsa kommt ins Zimmer, in seiner Uniform, an einem Arm seine Frau, am anderen seine Tochter. „Verlassen Sie sofort meine Wohnung!" sagt er zu den Herren. „Wie bitte?" fragt der mittlere Herr. „Sie haben mich doch verstanden", antwortet Herr Samsa. Der mittlere Herr sieht zu Boden. „Dann gehen wir also", sagt er dann. Alle drei Herren gehen ins Vorzimmer, setzen sich ihre Hüte auf, nehmen ihre Stöcke, grüßen noch einmal wortlos und gehen hinaus. Familie Samsa sieht ihnen nach.

Am heutigen Tag wollen sie nicht arbeiten gehen. Sie brauchen eine Ruhepause. Sie setzen sich an den Tisch und schreiben Entschuldigungsbriefe. Während des Schreibens kommt die Bedienerin herein. Sie ist mit der Arbeit fertig und will gehen. Die drei nicken 2 nur und schreiben weiter. Aber die Bedienerin bleibt stehen. „Nun?" fragt Herr Samsa ärgerlich. Die Bedienerin lächelt. Sie hat noch etwas zu sagen. „Was wollen Sie denn noch?" fragt der Vater. „Ja", antwortet die Bedienerin und lacht vor Freude, „wie das Ding da im Zimmer wegkommt, da machen Sie sich keine Gedanken. Es ist schon in Ordnung." Jetzt will die Bedienerin alles erzählen. Aber Herr Samsa hebt nur die Hand. „Es ist gut." Die Bedienerin sagt nur

---

2. **nicken** : heißt in Deutschland „ja".

noch „Adjes allerseits", dreht sich um und schlägt laut die Tür zu.

„Heute Abend wird ihr gekündigt", sagt Herr Samsa. Die beiden Frauen antworten nicht. Sie stehen auf und gehen ans Fenster. Sie umarmen sich und sehen aus dem Fenster. „Nun kommt schon und vergesst die alten Sachen", sagt Herr Samsa. Sie gehen wieder an den Tisch, geben ihm einen Kuss und schreiben ihre Briefe fertig.

Dann gehen alle drei zusammen hinaus. Seit Monaten haben sie das nicht getan. Sie nehmen die Straßenbahn und fahren ins Freie [3] vor die Stadt. Sie sitzen allein im Wagen. Die Sonne scheint. Sie sprechen über ihre Zukunft. Ihre Aussichten sind nicht schlecht. Alle drei haben gute Stellungen. Das wichtigste ist im Moment natürlich, dass sie sich eine kleinere und billigere Wohnung suchen. Während ihrer Unterhaltung bemerken Herr und Frau Samsa, was für ein schönes und anziehendes Mädchen Grete in der letzten Zeit geworden ist. Es ist Zeit, denken jetzt beide, einen tüchtigen, jungen Mann für sie zu finden. Als die Straßenbahn hält, steht Grete als erste auf und dehnt [4] sich. Stolz sehen ihre Eltern sie an.

---

3. **ins Freie** : (hier) aus der Stadt.
4. **sich dehnen** : sich lang machen (wie eine Katze).

Leseverständnis

1 **Beantworte die Fragen:**

1. Was ist mit Gregor geschehen?

2. Hat die Bedienerin großen Respekt vor Gregor? Warum (nicht)? Wie nennt sie ihn?

3. Warum verstehen Herr und Frau Samsa nicht sofort, was geschehen ist?

4. Tut es ihnen Leid?

5. Was sagt Herr Samsa jetzt den drei Zimmerherren?

6. Warum gehen die drei dann nicht arbeiten?

7. Warum möchte die Bedienerin erklären, was sie getan hat?

8. Wohin fährt Familie Samsa?

9. Wie sehen sie ihre Lage?

2 **Was meinst du?**

1. Was hat die Bedienerin mit der Leiche Gregors gemacht?

2. Warum will der Vater der Bedienerin kündigen?

3. Woran ist Gregor gestorben? An gebrochenem Herzen – am schlechten Essen – Käfer leben nicht lange – an der Verletzung durch den Vater – weil er sterben wollte ... Begründe deine Meinung!

Das Original

1 **Der Originaltext beginnt etwas anders als unsere Version.**

Als Gregor Samsa eines Morgens aus unruhigen Träumen erwachte, fand er sich in seinem Bett zu einem ungeheueren Ungeziefer verwandelt. Er lag auf seinem panzerartig harten Rücken und sah, wenn er den Kopf ein wenig hob, seinen gewölbten, braunen, von bogenförmigen Versteifungen geteilten Bauch, auf dessen Höhe sich die Bettdecke, zum gänzlichen Niedergleiten bereit, kaum noch erhalten konnte (...)

Erklärungen:

Ungeheuer ist die Dimension: es ist groß, aber das *Ungeheuer* heißt das Monstrum, also ein *monströses Ding*, unser Ungeziefer; *ein Ungeziefer*: das ist seltsam, denn Ungeziefer ist im Deutschen nicht zählbar – ein Ungeziefer sagt man also nicht.
Das Wort kommt vom Althochdeutschen *zebar*: Opfertier + Negation Un-, also „kein Opfertier" (z.B. weil es *schmutzig* ist).

Fragen:

1. Wie komplex ist der Satzbau in Kafkas Text? Zähle die Nebensätze und vergleiche mit dem Anfang unserer Version.
2. Was meinst du: Warum wählt der Erzähler diese Form? Ist das distanzierter oder schockierender oder ...?
3. Wie detailliert sind die Situation und das Tier beschrieben? Warum sagt der Erzähler nicht einfach: *Gregor ist ein dicker Käfer geworden?*
4. Hat es im Text Sinn, wenn wir „Ungeziefer" mit „kein Opfertier" übersetzen? War er vorher ein Opfertier und ist jetzt keins mehr? Wird Gregor nicht geopfert, um eine nette kleine Familie möglich zu machen?

Das Groteske

Groteske Elemente sind typisch für die Literatur des Expressionismus: das Fieber eines Soldaten steigt auf über 100 Grad Celsius (Meyrink), Eisenbahnen fallen von den Brücken (van Hoddis), jemand schlägt einer Blume den Kopf ab und wird verrückt (Döblin).

In Osteuropa hat das Groteske allerdings eine längere Tradition. Nikolaj Gogol ist ihr Meister. Die Nase (...), Teil der Sammlung *Arabesken* von 1835, ist eine seiner bekanntesten Erzählungen.

Der Ratsassessor Kowalew wacht eines Morgens auf und lässt sich den Spiegel bringen. Was muss er da sehen? Er hat keine Nase mehr.

Gregor Samsa erwacht eines Morgens und ist kein Mensch mehr. Das ist radikaler als Gogol, vor allem aber: Kafka beschreibt es ganz anders, und das können wir schon an der Interpunktion sehen:

1 **Vergleiche Gogols Text (unten, Übersetzung Seite 96) mit Kafkas Originaltext auf Seite 94.**

> ... увидел, что у него вместо носа совершенно гладкое место! Испугавшись, Ковалев велел подать воды и протер полотенцем глаза: точно, нет носа! Он начал щупать рукою, чтобы уснать: не спит ли он? кажется не спит.
> Коллежский асессор Ковалев вскочил с кровати, встряхнулся: нет носа! ...

Übersetzt, sieht der Text so aus:

... er sah, dass es anstelle der Nase eine ganz glatte Fläche gab! Erschreckt, befahl Kowalew ein Handtuch zu bringen, um sich die Augen zu reiben: wirklich, keine Nase! Er gab sich Kniffe: schlief er vielleicht noch? Er schlief nicht! Der Ratsassessor Kowalew sprang aus dem Bett, er schüttelte sich: keine Nase! ...

Fragen:

1. Was ist an der Interpunktion (und der Satzstruktur) bei Kafka anders? Warum ist das so? Ist in Kafkas Text der Erzähler kühler, distanzierter, akzeptiert er einfach die Fakten – oder ist es Gregor, der die Dinge ohne Rebellion akzeptiert, oder der es noch nicht glauben kann – oder ...?

2. Kannst du erklären, was wir *im Leben* und in der Literatur *grotesk* nennen? Es hat etwas mit Lächerlichkeit (oder mit Ironie), mit Erschrecken und Angst zu tun; es geht um unmögliche oder unglaubliche Dinge – nenne ein paar Beispiele und versuche eine Definition zu geben.

3. In Gogols Text ist am Ende die Nase wieder da. Kafkas Verwandlung endet mit dem Tod der Hauptfigur. Der Aufbau ist nicht zyklisch, sondern ... wie? Der Text ist in drei Kapitel gegliedert, wie es im Drama oft drei Akte gibt. Vergleiche.